D1450688

SOCIALISME, ÉTATISME ET DÉMOCRATIE

Dorval Brunelle

SOCIALISME, ÉTATISME ET DÉMOCRATIE

ÉDITIONS SAINT-MARTIN

SOCIALISME, ÉTATISME ET DÉMOCRATIE
Composition/montage : Composition Solidaire inc.
Maquette de la couverture : Zèbre Communications inc.
                              Marie-Josée Chagnon
Correction : Lorraine Malouin

ISBN 2-89035-072-X

Dépôt légal : Bibliothèque nationale du Québec, 4ᵉ trimestre 1983

Publié conformément au contrat d'édition de l'Union des écrivains québécois

Imprimé au Canada

COLLECTION « RECHERCHES ET DOCUMENTS »

Dans la même collection :
Les Enjeux sociaux de la décroissance — ACSALF

Notre catalogue vous sera expédié sur demande :
Les Éditions coopératives Albert Saint-Martin
4073, rue St-Hubert, Montréal (Québec) H2L 4A7
(514) 525-4346

DISTRIBUTION :
Diffusion Prologue inc.
2975, rue Sartelon
Ville Saint-Laurent
H4R 1E6
Tél. : 332-5860
Ext. : 1-800-361-5751

Avant-propos

Tout questionnement autour du socialisme et de l'étatisme circonscrit vraisemblablement les enjeux théoriques et pratiques les plus préoccupants en cette fin de siècle. J'entends par là que, engagés comme nous le sommes dans un processus de socialisation d'une ampleur jamais égalée, l'alternative se pose désormais de manière de plus en plus dramatique à savoir où basculera le pouvoir politique, soit du côté de l'accroissement étatique, soit du côté de l'enrichissement collectif.

Reprendre, dans ces conditions, une réflexion autour de la notion de démocratie ou du démocratisme, pourrait n'être qu'un vain exercice visant à renouer avec une tradition qui a connu ses plus belles heures de gloire au moment des révolutions dites « bourgeoises » du XIXᵉ siècle, en 1830 et en 1848 notamment, si l'élaboration d'une théorie de la démocratie pouvait être considérée comme parachevée, voire démodée. Or, ce n'est pas du tout le cas.

C'est donc avec cette préoccupation à l'esprit que nous nous sommes appliqué à étudier en parallèle, démocratie, étatisme et socialisme, un peu comme si la mise en rapport de ces notions était susceptible d'ouvrir la voie à l'approfondissement de la réflexion sur les enjeux sociaux qu'elles recouvrent et cernent tout à la fois.

Nous savons bien l'ambivalence du terme « démocratie », l'ambiguïté de la revendication démocratique quand elle ne s'accroche pas à des droits précis, à des enjeux circonscrits. Mais il faut voir également, au-delà du rapport immédiat des forces, voire des classes sociales, en présence, la nécessité de renouveler la réflexion autour du démocratisme même afin d'ouvrir les sociétés actuelles à des pratiques « nouvelles », des pratiques dissidentes bref, d'ouvrir sur un enrichissement théorique et pratique. Il importe alors de situer les minoritaires et, à cette fin, de redéfinir des souverainetés collectives. Cela, ni le capitalisme, ni le socialisme institué ne l'ont fait et d'amorcer la réflexion autour du démocratisme pourra peut-être nous amener à comprendre pourquoi.

Nous n'entendons dès lors pas aborder ici de questions programmatiques sinon explorer en quoi et comment l'extension et la croissance des États actuels mettent en péril un espace de la démocratie entendu comme un ensemble ou un réseau de relations et de pratiques intellectuelles, sociales et politiques alternatives ou « non programmées ». Pourtant, nous n'entreprendrons pas non plus de reprendre le flambeau de l'anti-étatisme allumé par certains anarchistes, mais plutôt d'orienter la discussion et la critique autour des concepts de démocratie, d'État et de droit, entre autres.

La dimension même du thème envisagé excluait par avance un traitement complet. C'est pourquoi le texte qu'on va lire participe plutôt de l'essai que de la thèse même si par endroits — aux chapitres 3 et 4 notamment — nous avons cru devoir recourir davantage aux citations et à quelques auteurs classiques pour faire cheminer une réflexion critique de quelques approches, aussi bien marxistes que non marxistes, à l'étude de l'étatisme. Cela est peut-être dû à ce que l'analyse de l'État a été développée de manière beaucoup plus rigoureuse que ne l'a été celle de la démocratie. Il y a donc moins à redécouvrir dans le premier cas, sinon une critique à échafauder, tandis que, pour ce qui concerne la démocratie et le démocratisme, nous sommes tellement en retard sur le plan de l'analyse, que la réflexion a encore toute sa marge de manoeuvre pour aller puiser aussi bien dans l'histoire que dans l'herméneutique ses éléments de base.

À moins que, au lieu de retard, ce ne soit d'usure qu'il faille parler et, à ce compte-là, l'usure n'affecte pas que le concept de démocratie mais aussi ceux de socialisme et d'État.

Comme l'a écrit Antoine de Saint-Exupéry, « les mots s'usent chez les hommes, et perdent leur sens. Les théories scientifiques s'usent... Si vous ne voulez pas vivre d'une pensée morte, il vous faut perpétuellement la rajeunir [1] ».

C'est ce rajeunissement que nous avons cherché à viser dans ces pages en soumettant quelques mots clés du langage contemporain à un regard critique.

En terminant, je tiens à remercier Micheline de Sève et Jean-François Léonard pour tout l'intérêt qu'ils ont manifesté pour le manuscrit. Je les dédouane néanmoins entièrement de toute responsabilité en ce qui concerne le produit fini dans la mesure où je n'ai pas toujours donné suite à leurs commentaires et remarques.

Note :
[1] Cf. *Écrits de guerre, 1939-1944*, Gallimard, 1982, p. 208.

Introduction

Par les temps qui courent, il est à peu près impensable de se proclamer ouvertement antidémocrate de sorte que, par un bizarre retour des choses, même les militaires ou les militants qui utilisent des techniques totalitaires ou des tactiques révolutionnaires de raffermissement ou de contestation du pouvoir, selon les cas, le font avec en vue la justification de protéger ou d'établir la démocratie et le libre exercice des libertés civiles.

Le recours à la démocratie et au démocratisme s'est à ce point universalisé que les plus conservateurs se retrouvent apparemment en accord avec les plus radicaux. Pourtant, derrière cette apparente convergence se cachent dans les faits de profondes divergences sur le sens et la portée des revendications démocratiques. En effet, pour autant que l'on jugera démocratique sa propre société et les institutions qui la gèrent, brandir l'antidémocratisme ne servira qu'à illégitimer ou à invalider tout réformisme, ne servira qu'à justifier et à imposer le maintien des institutions existantes.

À l'autre bout de la chaîne politique, porter un jugement d'antidémocratisme sur une société ou l'une de ses institutions, c'est légitimer la remise en cause d'un ordre social ou d'une parcelle d'ordre social.

Cette ambivalence, cette indétermination dans les sens à donner à un mot clé du langage contemporain explique peut-être pourquoi il n'y a pas de théorie de la démocratie au sens où l'on peut dire qu'il existe une ou des théories du droit, une ou des théories de l'État[1]. Il y a des approches à la démocratie ce qui n'est pas la même chose.

Il n'y a pas de théorie de la démocratie, ce qui n'empêche pas des démarches scientifiques de s'approprier ou de légitimer l'un ou l'autre des nombreux sens du mot démocratie, ce qui n'empêche pas des stratégies politiques antagoniques d'intégrer certaines pratiques démocratiques.

Il n'y a pas de théorie de la démocratie parce que la notion de démocratie recouvre toute une panoplie de politiques et de techniques juridiques de conquête, de conservation ou d'effritement de pouvoirs ; il n'y a pas de théorie de la démocratie, à la limite, parce que le terme renvoie à des thèses et à des *praxis* inconciliables ce qui, à son tour, implique que la légitimation de ces démarches et de ces pratiques fasse appel à des rationalisations irréconciliables.

C'est d'ailleurs pourquoi telle ou telle théorie politique de l'État, qu'elle soit libérale ou marxiste, intègre certains processus démocratiques et pas d'autres ; c'est également pourquoi telle ou telle science de la société théorise dans ses limites épistémologiques propres certains droits démocratiques et pas d'autres. Si, en effet, une explication scientifique des rapports sociaux est théoriquement possible, les lois propres à une telle démarche sont universelles, elles relèvent du raisonnable, du théorisable, elles reposent en d'autres mots sur des prédicats. Pourtant, ce n'est nullement le cas pour l'ensemble des pratiques de démocratisation dont la nécessité ou l'existence même sont loin d'être acquises pour tous. La démocratie, qui est une germination des processus les plus divers fonctionnant de la manière la plus diversifiée dans des institutions les plus divergentes se trouve alors en quelque sorte tronquée et manipulée en fonction de l'approche retenue.

Que l'on réduise la démocratie à l'exercice d'un droit de vote, au pluripartisme avec — ou non — alternance dans l'exercice du pouvoir, à la protection judiciaire de l'exercice des libertés civiles, ou à n'importe quels autres droits d'ailleurs, il n'y a pas de nécessité objective de la démocratisation, ce qui serait précisément une des finalités d'une analyse scientifique des phénomènes de socialisation, sinon une légitimation de certaines pratiques démocratiques, une tolérance de certaines institutions démocratiques, une validation de certaines thèses sur la démocratisation.

Plus rigide ou dogmatique sera l'approche scientifique à l'étude des phénomènes sociaux et plus elle aura de difficulté à se réconcilier avec l'enjeu de la démocratisation dans son ensemble. Ni l'approche de Hegel, ni celle de Max Weber, ni non plus a *fortiori* celle de Marx et des marxistes sauront ou voudront intégrer une analyse « scientifique » de la démocratisation. Redisons-le, quitte à l'illustrer plus tard : il y a antinomie entre la prétention à fonder une explication exhaustive ou fermée du social par quoi se caractérise la science et l'éclatement constamment repris et renouvelé propre au processus de démocratisation qui a cours dans nos sociétés, processus dont une des finalités vise précisément à remettre en cause, voire à briser, le carcan des normes, des réglementations, des lois juridiques et scientifiques qui imposent et maintiennent un ordre social spécifique.

C'est ce qui nous amène à distinguer deux façons d'aborder l'étude de la démocratie. La première consiste à ne voir dans la démocratie que les modalités propres au maintien d'une légitimité sociale minimale appartenant en propre à un système politique donné ; la démocratie, c'est la tolérance d'un ensemble de droits, qui, en définitive, garantissent, cautionnent et légitiment un ordre social précis avec son pouvoir politique propre. L'autre approche consiste à voir dans la démocratie, au-delà des stratégies de manipulation sociale, la remise en cause profonde et permanente de cet ordre, ce que la prise en compte de la totalité des pratiques de démocratisation, ou de la totalité des initiatives démocratiques implique nécessairement.

C'est pourquoi nous avons avancé qu'il n'y a pas de théorie de la démocratie, sinon des approches qui tolèrent certaines pratiques démocratiques parce que, en définitive, c'est précisément l'ensemble des processus de démocratisation qui invalidera l'ordre social propre à un système économique, à un régime politique, et conduira à remettre en cause les rationalisations qui portent, justifient et légitiment cet ordre. C'est pourquoi également les prosélytes ou les défenseurs d'un ordre social spécifique se méfient de la démocratisation puisque l'un ou l'autre des processus que ce terme recouvre est susceptible d'apporter un démenti social effectif à la légitimité du pouvoir dont ils se portent garants ; c'est pourquoi les politiques surtout manipulent à merveille la démocratie formelle dans la mesure même où une démocratisation effective est susceptible de fonder un contre-pouvoir au pouvoir en place ou, à tout le moins, dans la mesure où la revendication démocratique illégitime un pouvoir institué qui se prétend déjà démocratique.

Afin de cheminer dans les ambiguïtés suggérées ici, il faut établir une distinction de fond entre des libertés civiles réelles ou formelles et le processus de démocratisation au sens large. On peut regrouper parmi les libertés civiles un ensemble de droits effectivement reconnus dont l'exercice est permis, toléré ou réprimé dans des contextes sociaux spécifiques ; il en est ainsi, par exemple, du droit à l'information et à l'éducation, du droit de vote, du droit de se porter candidat et de se faire élire, du droit de grève, dont la reconnaissance ou la répression appellent des revendications précises afin d'en faciliter ou d'en reconnaître l'exercice et la finalité. Mais la démocratie n'est pas que cela, c'est aussi l'émergence d'enjeux nouveaux, de pratiques neuves, le déploiement de questions nouvelles et le repérage théorique de ces enjeux ou de ces questions dont l'importance ou la pertinence n'étaient pas données au point de départ ni dans telle ou telle théorie du social, ni même dans les pratiques sociales existantes ; il s'agit de pratiques et de théorisations portées par des contradictions ou des défis qui n'étaient pas institutionnalisés et qui n'étaient même pas théorisables dans les anciennes démarches comme c'est le cas pour l'oppression des femmes, l'isolement et l'enrégimentation des enfants puis des adolescents, la « production » des criminels par le système pénitentiaire ou les revendications des homosexuels, parmi une foule d'autres. D'ailleurs ce redéploiement n'affecte pas que des individus directement, sinon les rapports qu'ils nouent avec leur environnement physique et social, ce que, faute de meilleure expression, l'on peut regrouper sous l'intitulé « la qualité de la vie en société ».

Si donc l'on entend ouvrir la voie à une éventuelle solution de ces dilemmes, il convient d'approfondir les sens du mot démocratie et d'envisager la finalité de la démocratisation, afin de jeter les bases d'une approche critique suffisamment souple pour saisir la richesse et la profonde nécessité des revendications. Il s'agirait de légitimer la voie à l'instauration d'une socialisation démocratique par opposition aussi bien à la démocratisation de type libéral qu'à la démocratie prétendument populaire telle qu'elle existe « réellement », pour reprendre l'expression déjà consacrée. Mais avant d'en arriver là, c'est à l'exploration et à la critique du pouvoir d'État que nous allons nous consacrer.

Démocratie et pouvoir d'État

Il n'est pas possible de s'engager dans un sujet aussi vaste que celui qu'évoque l'enjeu de la démocratie sans faire état du côté inépuisable d'un tel thème qui a donné lieu aux interprétations les plus variées, les plus riches. Au coeur des luttes politiques entre libéraux et conservateurs, au coeur des conflits entre mencheviks et bolcheviks, panacée des sociaux-démocrates contre les socialistes, de ceux-ci contre communistes et réactionnaires ensemble confondus, la démocratie est partout présente dans toutes les thèses sur le réaménagement des relations entre individus, entre individus et pouvoirs constitués, sur le réaménagement des sociétés elles-mêmes.

La démocratie est encore et toujours la revendication de base dans nos sociétés actuelles, celle qui s'est le moins usée, celle qui porte le plus d'espoirs, davantage même que le socialisme car un socialisme sans démocratie s'est avéré n'être qu'une caricature de libération prolétarienne, entre autres choses.

Mais, en même temps, pour être la plus brandie des revendications, le plus évoqué des thèmes, la notion de démocratie est toujours aussi ambivalente, aussi insaisissable. Tout converge pour en rendre l'étude particulièrement ardue : l'État, le droit, le pouvoir interviennent comme des supports ou comme des empêchements à l'étude et à la pratique de la démocratie. Où commencer, où finir ?

La voie la plus simple, même si elle risque d'apparaître comme un long détour, est celle qui passe par l'analyse de l'État et du droit justement. C'est en effet cette démarche qui est susceptible de nous conduire à une prise en compte de la nécessité objective de l'universalisation de la démocratie, une démarche qui est susceptible d'ouvrir sur la légitimité de l'ensemble des processus de démocratisation dans des contextes par ailleurs foncièrement conservateurs ou totalitaires. À l'heure actuelle, la démocratisation n'existe tout au plus qu'à l'état de projet et pour comprendre ce constat, qui est à la fois une critique des régimes politiques en place et un enjeu fondamental dans le long processus de libération des individus et des peuples, c'est à un travail de longue haleine qu'il faudrait s'astreindre.

Le recours, tel que nous l'opérerons plus avant, à l'analyse de l'État et du droit est essentiel parce que la législation et la réglementation sont devenues de telles panacées aussi bien dans l'Ouest capitaliste que dans l'Est socialiste que c'est à se demander si, derrière une opposition de pure forme ou de pure propagande, il n'y aurait pas là une extraordinaire convergence objective. Quoi que l'on fasse, quoi que l'on dise, l'État prend de plus en plus de poids dans nos sociétés et il semble y avoir ici une nécessité que l'on tient trop souvent pour acquise : dans ces conditions, la question de la conquête ou celle de la contestation du pouvoir politique se ramène à la définition d'un accroissement de contrôle de la société par l'État.

Mais pourquoi en va-t-il ainsi ? Pourquoi l'État prend-il toujours plus de place dans nos sociétés ? Est-ce bien affaire de volonté collective ? Ou, ne serait-ce pas plutôt parce que l'État canalise et étouffe l'émergence de certaines pratiques démocratiques d'où qu'elles viennent, où qu'elles naissent ? Si tel était le cas, il y a bien sûr un rapport antagonique à établir entre la croissance de l'État et l'espace de la démocratie. Mais, d'un autre côté, est-ce que l'État n'est pas le seul garant de la démocratie ou, à tout le moins, est-ce que les libertés démocratiques ne sont pas garanties ou cautionnées par la Constitution d'un État ? De plus en plus il apparaît donc que seule une exploration plus fine de la question de la démocratie est susceptible d'ouvrir la voie à la justification et à l'établissement de pratiques alternatives, voire de certaines pratiques effectivement subversives. Or, le problème que pose l'étude de la démocratie est immense quand cela ne serait que parce que la notion même de démocratie donne prise à tout un échafaudage de méconceptions qui s'apparentent davantage aux discours moralisateurs des défenseurs des droits acquis qu'à des études sur l'exercice effectif ou concret de pratiques démocratiques dans un contexte social donné.

C'est comme s'il y avait autour de la notion de démocratie une appropriation de sens ou d'intention ; la gauche comme la droite s'illégitiment l'une l'autre par un espèce de recours quasi incantatoire au respect de la démocratie ou à la nécessité de son instauration.

Ce qui ne contribue pas peu à brouiller les pistes c'est précisément que les analystes font appel à la démocratie plutôt que de soumettre la démocratie elle-même, ses pratiques et ses finalités sociales dernières à l'analyse. Il s'ensuit que l'on peut épiloguer *ad infinitum* sur la démocratie alors même que l'espace social dans lequel elle est exercée se rétrécit sans cesse comme une peau de chagrin, ainsi que cela se produit effectivement à l'heure actuelle dans la société, surtout avec l'accroissement du poids de la réglementation bureaucratique.

Pourquoi la démocratie ? Qu'est-ce que la démocratie ? Pourquoi lutter pour l'instauration de la démocratie ? Autant de questions qui nous retiendront et qui nous occuperont tout au long de ces pages.

Si les développements qui suivent sont parfois abstraits, si nous entreprenons de nombreux détours du côté de la théorie politique ou de la sociologie du droit, la seule justification qu'on en peut fournir c'est que le terrain sur lequel nous nous engageons est particulièrement miné malgré que la revendication démocratique elle-même apparaisse si simple, si évidente.

Le renouvellement des travaux sur la démocratie connaît un regain de faveur et de ferveur. En effet, un des développements les plus intéressants dans les sciences sociales ces dernières années a peut-être été le renouveau d'intérêt manifesté à l'endroit de questions relatives au pouvoir[2]. Qu'il s'agisse d'étudier le fonctionnement de mécanismes hiérarchiques comme l'exploitation de l'ouvrier, l'oppression des femmes ou la soumission des jeunes, qu'il s'agisse d'expliquer l'inégalité économique à travers la répartition du revenu ou l'implantation de législations sociales, le problème de la distribution du pouvoir, celui de la distribution du pouvoir de l'État en particulier, demeure central. En effet, riches maintenant de tout un arsenal de pratiques étatiques radicales vouées aussi bien à l'abolition de la propriété privée qu'à l'abolition de l'inégalité entre les sexes, ou à la reconnaissance des droits des enfants et des jeunes, force nous est de prendre acte du maintien d'une relation sociale fondamentale où le pouvoir d'État demeure l'assise et la pierre de touche sur laquelle viennent se greffer des rapports sociaux antagoniques entre classes, groupes ou sexes.

La science économique, en particulier, a été sans doute le lieu privilégié où s'est développée une approche lénifiante à la question du pouvoir, allant même jusqu'à l'évacuer des relations de propriété sans voir que la question du rapport juridique, puis celle de sa formalisation dans une loi ou dans un Code, n'étaient que des dérivés d'une relation politique fondamentale, la relation de pouvoir entre groupes ou entre classes au sein d'un État. À l'heure actuelle, le recours à certaines théories scientifiques tend justement à occulter cette relation de pouvoir, ce qui a pour conséquence première de pousser le droit ou la dogmatique juridique à l'avant-scène : les rapports effectifs de pouvoir se trouvent dès lors complètement marginalisés au profit d'une approche doublement techniciste à la gestion des relations sociales ; techniciste en ce sens que la science économique et la science juridique prétendent pouvoir fournir de l'intérieur de leur propre problématique et formalisation une solution quelconque aux contradictions économiques ou juridiques qui agitent nos sociétés d'une part ; techniciste ou technique en cet autre sens maintenant que ce ne peuvent être qu'économistes et juristes ou en tout cas des « social scientists », des praticiens de l'économie ou du droit et des intellectuels des régimes en place qui peuvent être investis ou qui s'investissent d'une mission salvatrice et de la gérance théorique et pratique des oppositions ou des confrontations sociales à l'heure actuelle.

Ce dernier aspect de la question, à savoir celui des rapports entre « la connaissance et l'intérêt » objectifs ou subjectifs du sujet connaissant a été approfondi par Jürgen Habermas qui étudie les « intérêts qui commandent la connaissance (comme) une médiation entre l'histoire naturelle de l'espèce humaine et la logique de son processus de formation[3] ».

L'utilisation d'une notion d'intérêt aussi générale dans ses applications ne doit pas nous faire oublier les dimensions plus proprement économiques, politiques ou sociales immédiates de l'intérêt et ses répercussions sur le maintien de la stabilité d'un système social ou, plus platement, sur la rémunération, sur la détention du pouvoir, voire même sur le statut social des individus, comme ont su et ont pu à juste titre le rappeler Oscar Kahn-Freund ou André-Jean Arnaud dans leurs études consacrées à la place des magistrats ou des juristes dans la société[4].

C'est donc, au niveau le plus général, un certain « ordre du discours » — au sens où l'entend Michel Foucault[5] — qui structure le pouvoir ou, à l'inverse, le pouvoir qui institutionnalise un ou des discours dominants.

Il n'est plus possible à l'heure actuelle d'isoler la question du pouvoir des supports humains et matériels sur lesquels il s'appuie pour fonder toute la dogmatique qui le sous-tend. Avant toute chose, l'exercice de la puissance commande un langage et la sauvegarde des institutions de l'État commande à son tour le maintien de l'hégémonie du discours juridique et de la dogmatique juridique ou scientifique sur tous les autres discours, sur toutes les critiques potentiellement subversives en particulier.

Il y a ici entre pouvoir de l'État, discours dogmatique et intérêts immédiats d'une frange précise d'intellectuels bref, entre le pouvoir de l'État et celui de l'intelligentsia, un enchevêtrement de problèmes et d'enjeux qu'il nous appartient de tirer au clair si l'on veut mettre au jour des connivences objectives qui s'accommodent tout aussi bien du totalitarisme politique que du conservatisme politique.

Quoi qu'il en soit, la notion de pouvoir et la relation de pouvoir dans la société seront au centre de nos préoccupations tout au long des analyses que nous proposons dans les pages qui suivent. Cette approche devrait nous permettre de contribuer à une remise en cause du formalisme et du positivisme en économie et en droit. Elle devrait surtout nous permettre de cerner et de situer la pratique de la démocratie dans nos sociétés capitalistes avancées en particulier et de montrer l'importance de cet enjeu pour toute entreprise politique d'émancipation sociale.

La démarche que nous suivrons, malgré la difficulté de certains thèmes, nous conduira, après avoir quelque peu fait le tour de la notion de démocratie, à étudier ce que nous appellerons « l'étatisme » afin de cerner les particularités propres à l'État développé et à son droit. Après quoi, nous serons en mesure d'aborder quelques problèmes plus terre à terre des rapports entre certaines institutions et la démocratie.

En conclusion, nous montrerons comment opère le rétrécissement de l'espace de la démocratie à l'heure actuelle et nous tâcherons de montrer comment, pour contrer ce processus, il importe d'avoir recours à ces formes de résistance sociale et politique à la marginalisation de la démocratisation par l'État. Il y a ici un paradoxe fondamental entre démocratie formelle et démocratisation sociale qu'il est dans notre intention d'expliquer et de démêler et c'est la portée que nous entendons donner à certaines distinctions de base qui devraient contribuer à asseoir la validité d'une approche d'ensemble à la démocratisation comme voie de sortie de crise face aux contradictions sociales et économiques dans lesquelles s'enferre l'État contemporain.

Notes :

[1] Il ne faut pas se laisser abuser par les titres d'ouvrage dans la mesure où des théoriciens de la démocratie comme Sartori ou Friedrich admettent que son édification se fait encore et toujours attendre. L'exception à relever c'est celle représentée par Georgü K. Chaknazarov (*La Démocratie socialiste : questions de théorie*,

Éditions du Progrès, 1974) qui fait de l'État soviétique une institution par essence démocratique.

[2] Trois exemples suffiront ici : Henri Lefebvre, *De l'État*, U.G.E., Col. « 10-18 », 1976 ; Louis Mercier-Vega, *La Révolution par l'État*, Payot, 1978, et Trent Schroyer, *The Critique of Domination*, Beacon Press, 1975, (traduit chez Payot, 1980).

[3] *Cf. Connaissance et intérêt*, N.F.R., 1976, p. 230.

[4] *Cf.* « Introduction » in Karl Renner, *The Institutions of Private Law and their Social Functions*, Routledge and Keagan Paul, 1949, et *Essai d'analyse structurale du Code civil français*, L.G.D.J., 1973.

[5] *Cf. L'Ordre du discours*, N.R.F., 1971.

La démocratie dans le siècle

La notion de démocratie est ambivalente et c'est cette ambivalence même que nous voudrions explorer quelque peu en nous penchant sur les systèmes sociaux « existant réellement » à l'heure actuelle. En effet, quoi que l'on avance au sujet du processus de l'accumulation capitaliste d'un côté, quoi que l'on invoque en faveur de l'accumulation socialiste de l'autre, ces processus s'appuient l'un et l'autre sur une légitimation qui implique presque immanquablement un recours à la notion de démocratie. Or, cette caractéristique commune est bien plus souvent invoquée ou évoquée qu'approfondie ; c'est ainsi qu'à la démocratie libérale qui régnerait — ou devrait régner — dans la société capitaliste avancée en tout cas, répond la démocratie populaire des États socialistes. Et c'est ainsi également que, depuis l'une ou l'autre de ces prises de position, l'on s'autorise à invalider les processus démocratiques de son vis-à-vis : l'approche marxiste stigmatise ainsi comme étant purement

« formels » l'exercice ou l'implantation des libertés démocratiques libérales tandis que l'approche libérale se plaît plutôt à
définir comme étant « totalitaires » l'exercice ou l'implantation
des libertés collectives.

Tenons-nous-en pour le moment à ces généralités et explo-
rons ces légitimations à leur niveau le plus général, le plus
superficiel. Car il semble bien que ce soit en définitive au seul
niveau de la légitimité que se joue toute la question de l'enjeu
de la démocratie. Si l'on invoque à l'heure actuelle les difficul-
tés dans la « gouverne des démocraties » libérales, si l'on fait
appel à des expressions comme celle « d'écroulement des
démocraties [1] », c'est à la fois au nom d'idéaux démocratiques
abstraits et en vertu d'une analyse qui conclut à l'incapacité
des institutions légitimes de faire face aux exigences de l'implantation de ces idéaux. Dans la même veine, l'on invoquera
les « obstacles à la démocratie » pour stigmatiser tel ou tel abus
dans l'implantation de restrictions dans l'exercice des libertés
civiles [2] ou le « déclin de la démocratie » comme critique
ultime de l'État libéral [3].

Dans un autre ordre d'idées, l'appel à la démocratie peut ne
servir qu'à qualifier le fonctionnement des institutions étatiques libérales ou socialistes par rapport à des idéaux libéraux
ou socialistes et trace de ce fait la voie vers le raffermissement
de l'autoritarisme étatique qui tend à resserrer le contrôle sur
des pratiques démocratiques au lieu de favoriser leur émergence ou de faciliter leur épanouissement.

À ce niveau d'ailleurs, tout se passe comme si la sphère de
la légitimation aussi bien des idéaux que des institutions était
relativement indépendante par rapport à une réalité plus fondamentale regroupant l'ensemble des pratiques démocratiques
en tant que telles. Néanmoins, ce parallélisme dans les processus suffit-il pour caractériser ou pour expliquer les divergences
dans les régimes de démocratie ? Ou faut-il de toute nécessité
avoir recours à d'autres facteurs pour expliquer les différences
fondamentales entre la démocratie libérale américaine et la
démocratie populaire soviétique ?

Prenons l'exemple des libertés civiles et cherchons à cerner
les légitimations qui interviennent dans leur défense. Ainsi,
pour autant que la légitimation du fonctionnement de la

démocratie libérale s'appuie sur la défense et la protection des libertés individuelles, en particulier, l'illégitimité ou la critique du fonctionnement d'un tel régime invoquera le caractère factice, illusoire ou, pour tout dire, purement formel de ces libertés. Cette démarche débouchera alors sur la nécessité de l'instauration d'une liberté collective qui, à cause de son caractère essentiellement social, fonde la mise au rancart de toute forme de liberté individuelle afin de réaliser la dissolution du subjectivisme dans le collectivisme.

Il semble donc y avoir ici une correspondance entre l'économie libérale et la démocratie libérale d'une part, entre l'économie socialiste et la démocratie socialiste d'autre part, qui fonde deux démarches ou deux approches éminemment contradictoires caractérisées par la valorisation de l'individu par les uns, tandis que les autres valorisent plutôt la collectivité. À leur tour, ces deux ordres de légitimation de la société politique ou de la politique dans la société, comme on voudra, ne seraient que des reflets ou des transpositions d'une opposition encore plus fondamentale dans le mode de production des deux entités, américaine et soviétique en l'occurrence, avec d'un côté le capitalisme, de l'autre le socialisme.

L'antagonisme dans les fonctionnements des économies trouverait alors ses prolongements dans l'irréductibilité des pratiques démocratiques validées de part et d'autre.

Mais s'il y a bien ici irréductibilité dans les pratiques économiques ainsi que dans les pratiques politiques respectives propres au capitalisme et au socialisme, il n'en demeure pas moins entre ces deux systèmes une ressemblance qui ne laisse pas d'étonner et cette ressemblance c'est le recours à l'État qui la fonde. En effet, le paradoxe central qui caractérise le fonctionnement des systèmes capitaliste et socialiste ne réside pas tant dans ces oppositions politiques, somme toute légitimes pour autant que l'on demeure campé dans la logique de l'une ou l'autre économie, mais bien dans le rôle que joue l'État dans la validation de ces pratiques. N'est-il pas en effet curieux qu'aussi bien la pratique du capitalisme que celle du socialisme trouvent leur prolongement dans une extension du pouvoir d'État alors qu'en théorie du moins, aussi bien le capitalisme que le socialisme récusent dans leurs légitimations les plus abstraites le recours à l'étatisme, le premier parce que la propriété publique limite l'extension de la propriété privée, le second parce que la propriété d'État ne fonde pas *de facto* une appropriation collective véritable?

Le paradoxe central réside, en d'autres mots, dans ce que, aussi bien pour le libéral que pour le socialiste, le gonflement des fonctions de l'État apparaît comme une conséquence involontaire ou transitoire d'un ensemble de pratiques qui, en définitive, pourraient ou devraient s'en passer.

Si l'on pouvait contourner la question de l'État dans les phases antérieures où l'appel à l'étatisme était donné comme une nécessité ponctuelle, conjoncturelle, l'extension même des États capitalistes, tout comme celle des États socialistes, appelle d'autres approfondissements. Il n'est plus tenable aujourd'hui de rêver du dépérissement de l'État sans étudier les causes profondes de cet envahissement des fonctions de l'État dans les économies en présence. Il n'est plus défendable non plus de référer à des illusions ou même de tenir pour anodin ou secondaire un processus qui a pris une telle ampleur au cours des dernières décennies.

Bref, il ne semble plus que la prise en compte des seules caractéristiques économiques soit en mesure de cerner les causes des transformations intervenues dans les systèmes capitaliste et socialiste dans l'après-guerre. Il y a ici une homologie dans les effets de la mise en oeuvre de pratiques politiques qui ne se laisse pas emprisonner dans des schémas simplistes ou des explications elliptiques. En effet, comment deux systèmes économiques antagoniques trouvant leur prolongement respectif dans deux régimes démocratiques opposés ont-ils pu donner lieu à des prolongements étatiques aussi homologues? Comment, en d'autres termes, des stratégies politiques libérales ont-elles pu, au même titre que des stratégies socialistes, donner lieu à une extension des fonctions de l'État qui approfondit l'opposition militaire entre deux blocs alors que l'on assiste à un autre niveau à cette étonnante convergence? Et que l'on n'aille pas invoquer ici le dédoublement dans les termes pour éluder la question de fond; que l'on n'aille pas, en d'autres mots, invoquer que le socialisme appliqué en U.R.S.S. n'a rien à voir avec le marxisme ou prétendre que le libéralisme défendu aux USA était en fait du socialisme camouflé pour expliquer ce qui fait précisément problème. Parce que, quelles que soient les légitimations fournies pour expliquer des régimes politiques — dérive dans les mentalités ou alliance de classes — il reste ceci dans les faits : une irréductibilité dans les modes de production capitaliste et socialiste qui trouve son prolongement dans la consolidation de tout un ensemble d'alliances et de traités visant à constituer deux blocs antagoniques malgré cette homologie dans les rôles, place et importance de l'État dans les économies qui s'affrontent. Cette consolidation, tout en accroissant de part et d'autre l'importance de l'État, approfondit davantage qu'elle n'allège l'irréductibilité première entre le capitalisme et le socialisme tels qu'ils existent « réellement ».

Bien sûr, l'on sait fournir de part et d'autre d'apparentes réponses à ce paradoxe en invoquant, par exemple, le caractère libéral de l'État capitaliste par opposition au caractère totalitaire de l'État soviétique, d'un côté, en invoquant la nécessité de l'intervention de l'État capitaliste pour contrer la puissance de la planification étatique soviétique ou vice versa, de l'autre. Mais ces réponses sont toutes partielles en ce qu'elles légitiment les pratiques invoquées mais ne les expliquent absolument pas et la question de fond demeure : en quoi et comment une contradiction aussi profonde, logée dans l'économie même de deux sociétés en présence, peut-elle trouver un prolongement dans ce parallélisme de l'extension et de l'approfondissement de la place de l'État dans ces économies ?

Si l'on écarte le recours à l'illusion pour éluder ce genre de problème — encore qu'une illusion commune à deux situations objectives antagoniques poserait encore le problème de cette similitude même — il faut alors y regarder de plus près. Mais peut-être bien qu'il n'y a pas là au fond de problème du tout : peut-être bien que capitalisme et socialisme ne sont pas si différents, si divergents et que, en tant que deux formes dérivées d'un processus plus fondamental, l'industrialisation, c'est au coeur même de la mise en oeuvre de ce type de rapport à la production matérielle qu'il faudrait saisir le recours à l'État. Sous cet angle, capitalisme et socialisme seraient des dérivés d'un processus d'industrialisation qui ne saurait être enclenché, ni être maintenu sans un recours permanent et cumulatif à l'État. À cet égard, si ce raisonnement est fondé, c'est le recours même à l'opposition au sein des deux blocs qui est illusoire : les pratiques d'industrialisation sont multiples mais elles ont au moins un point en commun, elles ont toutes recours à l'État. Cette réponse à la question posée ouvre sur deux autres problèmes, celui du sens et de la portée des oppositions entre les formes capitaliste et socialiste d'industrialisation, celui de la place de l'État dans ces processus. Nous y reviendrons. Mais, avant d'aller plus loin, il est une autre réponse que l'on peut apporter à ce problème et c'est d'invoquer plutôt l'erreur dans les termes : en fait, selon ce raisonnement, il n'y a jamais eu de socialisme, les régimes qui se disent tels sont, en fait, capitalistes. Ou vice versa : il n'y a plus de capitalisme, mais des formes nouvelles, tardives, avancées de production sociale capitaliste. Mais, ici encore, l'invocation de la maturité ou de l'immaturité des systèmes en présence n'apporte aucune réponse aux questions posées concernant l'État et la place de la démocratie dans ces sociétés. Elles demeurent un pur jeu sémantique.

C'est ainsi que notre propre interrogation prend appui sur une lacune fondamentale qui est, en définitive, liée à la difficulté de cerner le processus de démocratisation par rapport à l'État ou encore de repérer le lien qui les unit l'un à l'autre. Alors, plutôt que de situer dans l'ordre des légitimations les fondements démocratiques d'un système économique et d'user de cette caution pour renvoyer aux limbes le recours à la notion de démocratie elle-même, il s'agira plutôt de partir de ces légitimations pour explorer le fonctionnement des sociétés. Il ne faudra dès lors pas qualifier *in abstracto* un régime ou le système selon l'image qu'il se plaît à renvoyer de lui-même mais, au contraire, il faudra prendre appui sur les légitimations produites par le régime ou le système pour saisir des pratiques, leur sens profond de même que leurs prolongements institutionnels plus ou moins efficaces.

L'espace de la démocratie

Nous allons maintenant expliciter la pertinence de l'utilisation d'une expression comme celle « d'espace de la démocratie » pour cheminer dans nos analyses.

En premier lieu, disons ceci : c'est essentiellement parce que le maniement même du terme de « démocratie » est si important, aussi bien dans la pratique que dans la symbolique des libéraux américains comme des socialistes soviétiques, qu'il apparaît nécessaire d'explorer le terme. Sans cela, à quoi rimerait, par exemple, la référence à la démocratie populaire dans le nom même des pays socialistes, à quoi rimeraient les incessants recours à la démocratie dans le moindre discours de l'homme politique américain ? Et dire que cela ne rime à rien, comme on le prétend parfois, ne saurait tenir lieu d'explication puisque cela n'empêche pas que ce soit ainsi et que c'est précisément ce qu'il faut expliquer si l'on veut un tant soit peu progresser dans l'analyse de la démocratie elle-même.

En deuxième lieu, ajoutons encore ceci : s'il faut partir d'une notion comme celle de « démocratie » et si cette notion sert de référent de part et d'autre, il est bien évident que les significations des expressions utilisées — « démocratie libérale », « démocratie populaire », « démocratie politique », « démocratie sociale », etc. — varieront considérablement selon les angles, selon les perspectives. Il importe alors de les situer dans un « espace », terme qui, dans son ambiguïté même, permet de situer aussi bien des pratiques démocratiques, que l'institutionnalisation de ces pratiques, voire également, les théorisations sur ce qu'est ou sur ce que devrait être la démocratie elle-même ; c'est pourquoi l'expression semblait utile et c'est à cette fin qu'elle sera utilisée dorénavant.

Si les expressions « espace de l'économie » et « espace du politique » sont courantes — chez Nicos Poulantzas en particulier — dans le sens que nous lui donnons, l'expression « espace de la démocratie » est dérivée de celle « d'espace aléatoire » utilisée par Philippe Ariès à l'occasion d'une entrevue accordée à l'hebdomadaire *Le Nouvel Observateur*[4]. Pour Ariès, « l'espace aléatoire » circonscrirait cet ensemble de relations « non programmées » dans la société que « le monde moderne s'ingénie à remplir (...), à supprimer ». L'expression est précieuse et c'est dans une certaine mesure, afin d'en illustrer l'utilité et la pertinence que nous allons la reprendre et l'employer.

Précisons que nous n'entendons pas procéder à substituer la notion « d'espace de la démocratie » à celle « d'espace aléatoire », sinon tenter de circonscrire le plus concrètement possible les modes d'existence de cet espace : si l'espace aléatoire englobe l'ensemble des relations « non programmées », celui de la démocratie circonscrit un univers de pratiques et de discours individuels et collectifs qu'il nous faudra délimiter et préciser.

Il importe de souligner dès l'abord toutefois que cette approche ne doit pas laisser présupposer que les droits et libertés qui opèrent dans cet espace sont des données immédiates de sorte qu'il faudra également s'attacher aux modalités d'exercice de ces droits et de ces libertés dans une conjoncture sociale particulière afin de cerner l'extension ou la contraction qui opère dans cet espace. C'est à cette condition que l'expression peut servir à construire une critique du mode de fonctionnement et d'exercice des droits et des libertés démocratiques dans un système politique donné : en évitant de donner prise à une appréhension idéaliste du fonctionnement de la société, elle sera susceptible de servir à fonder les voies d'une transformation qui passera par l'établissement de pratiques nouvelles qui accroîtront cet espace de la démocratie.

La notion de démocratie a un statut complexe dans les sciences sociales présentement : rares sont les chercheurs qui s'entendent sur sa définition, mais aujourd'hui tous s'accordent pour en proclamer la nécessité. Les conclusions d'une vaste enquête menée sur ce thème par l'UNESCO à la fin des années quarante auprès d'universitaires, de savants, d'idéologues de tout ordre et de toutes les tendances sont fort significatives à cet égard[5]. Il ressort en effet de cette étude, au-delà du kaléidoscope des interprétations diverses que l'on a pu fournir de la notion elle-même, que la démocratie est d'abord et avant tout un enjeu ; ceci étant établi, ce terme désignera soit un certain mode de fonctionnement d'institutions qu'il importe de conserver à tout prix, soit au contraire le point de ralliement d'une critique du fonctionnement des institutions existantes. En d'autres mots, la notion de démocratie sert ou bien à qualifier des institutions, ou bien à les disqualifier.

Pour illustrer la variété des points de vue, nous tirerons de l'ouvrage publié sous les auspices de l'UNESCO les extraits des deux premières contributions, celles de Bettelheim et de Bober. Pour Bettelheim :

« ... dans ses formes sociales, la démocratie n'est pas et ne peut être absence d'oppression, sinon une *certaine forme d'oppression* (...) L'on peut ainsi comprendre pourquoi un régime politique puisse être à *la fois* une dictature *et* une démocratie, comme l'est (...) la démocratie bourgeoise, qui est une démocratie pour les classes moyennes et une dictature pour le prolétariat [6]. »

À quoi l'on peut répondre par la question soulevée par Bober, à savoir : s'il est vrai que la forme politique qui conviendrait le mieux au capitalisme serait l'oligarchie, « pourquoi le capitalisme doit-il adopter une démocratie trompeuse avec un suffrage universel [7] ? » Bober établit par la suite, à l'instar de Bettelheim, la distinction entre démocratie bourgeoise et démocratie prolétarienne et laisse en plan la question relevée ici.

À la vérité, selon ce genre d'approche, la notion de démocratie ne saurait être cernée si elle n'est qualifiée ; ainsi, on parlera volontiers de démocratie directe par opposition à la démocratie représentative, de démocratie sociale par opposition à la démocratie parlementaire, de démocratie industrielle par opposition à la démocratie politique, ou encore de démocratie bourgeoise par opposition à la démocratie prolétarienne. Or, chacun de ces couples renvoie plutôt à un litige dans une conjoncture historique particulière qu'il ne désigne des institutions précises, voire le fonctionnement de ces institutions dans un contexte précis.

Ainsi pour prendre l'exemple d'un débat historique intéressant et significatif, Lénine et Trotsky se sont faits les défenseurs de la démocratie directe et ont privilégié ce mode d'expression tel qu'il pouvait s'exercer dans l'institution populaire des Soviets ; Rosa Luxemburg, pour sa part, avait alors élaboré une critique de cette prise de position en alléguant, en particulier, que l'exercice de la démocratie ne pouvait se passer d'institutions comme la liberté de presse et d'option, du suffrage universel, etc. [8]. Poursuivant son raisonnement, Rosa Luxemburg relevait que la mise au rancart du « lourd mécanisme des institutions démocratiques » comme le qualifiait Trotsky [9] avait pour conséquence d'ouvrir la voie au pouvoir de la bureaucratie :

> Sans élections générales, sans une liberté de presse et de réunion illimitée, sans une lutte d'opinion libre, la vie s'étiole dans toutes les institutions publiques, végète et la bureaucratie demeure le seul élément actif [10].

Cette question n'est pas si éloignée de nos préoccupations présentes qu'elle ne puisse servir de point de départ pour interroger le fonctionnement de nos institutions et les critiquer. D'ailleurs, il y a quelques années, Nicos Poulantzas a, dans une entrevue au cours de laquelle il avait esquissé les grands thèmes de son dernier ouvrage, évoqué dans ces termes les enjeux du problème du « dépérissement de l'État » dans la théorie marxiste :

> Il s'agit de se situer dans une *perspective globale de dépérissement de l'État*, perspective qui comporte *deux* processus articulés : la transformation de l'État et le déploiement de la démocratie directe à la base. C'est la désarticulation de ces deux démarches qui a donné lieu à une scission sous la forme des deux traditions (celle de Lénine et celle de Rosa Luxemburg, D.B.), scission dont on connaît les résultats [11].

Cette approche est curieuse. Elle tend à laisser supposer que la question de la démocratie était déjà en jeu dans la théorie marxiste avant que n'intervienne une « désarticulation » portée par les démarches respectives de Lénine et de Rosa Luxemburg. Cela est faux. Comme nous l'avons laissé entendre en « Introduction », il y a quelque chose d'inconciliable entre marxisme orthodoxe c'est-à-dire entre la codification du « marxisme-léninisme » et la démocratie ; et, pour être très précis d'ailleurs, cette désarticulation n'a pas grand-chose à voir avec Marx et la démocratie ou même avec l'approche de Marx face à la démocratisation. Non. Cela a à voir plutôt avec le développement d'une école de pensée, avec la dogmatisation, par les marxistes, de l'approche de Marx face à la démocratie — en omettant l'essentiel d'ailleurs — ce qui n'est pas la même chose du tout.

Dans la mesure où Marx s'est ou ne s'est pas préoccupé de démocratie, le sort de la démocratie dix, vingt ou cent ans après sa mort ne saurait lui être imputé, pas plus qu'on ne peut imputer la responsabilité de l'univers concentrationnaire à Nietzsche, ou la présence exclusive des mâles dans la hiérarchie de notre mère l'Église à saint Paul.

Mais l'on peut par contre imputer partie de la responsabilité dans chaque cas à des écoles de pensée qui se réclament, avec plus ou moins de justesse ou de bonheur, du maître à penser qu'elles se sont donné. Il ne s'agit pas ici de faire faire amende honorable à un auteur en lui faisant dire le contraire de ce qu'on prétend qu'il a dit, il s'agit plus simplement de rajuster la critique sur la bonne cible et, pour ce faire, de délaisser le terrain des rajustements mineurs à apporter à une dogmatique grâce à l'utilisation de la tactique des conflits de citation pour critiquer une ou des écoles de pensée justement, et de délaisser le problème passablement vain de la part de responsabilité d'un seul individu — mort de surcroît! — dans l'évolution des rapports sociaux. Nicos Poulantzas ne dit pas autre chose dans l'« Avertissement » à son livre *L'État, le pouvoir, le socialisme* mais, en trop bon marxiste-léniniste, il fait l'inverse. Au lieu de critiquer l'école de pensée issue de Marx, le marxisme orthodoxe en l'occurrence, il invoque la nécessité d'éviter le dogmatisme et les querelles de citations pour, grâce à une variante de dogmatisme et au recours à une pléthore de citations, réinstaurer et valider le marxisme très orthodoxe justement de celui qui se méfie au cube de la démocratisation. Comme si l'on ne pouvait pas se réclamer de Marx et être, sinon antimarxiste, du moins anti-antimarxiste comme se définissait naguère l'économiste anglaise Joan Robinson, c'est-à-dire se réclamer de découvertes et de critiques mais récuser la mise en forme dogmatique qui peut opérer chez cet auteur même à des fins de constitution d'une chapelle, d'une école, d'une science ou d'un parti.

Distinction oiseuse? Pour le croyant et le dogmatique peut-être, mais c'est aussi, dans tous les domaines du savoir, un prérequis à l'avancement des sciences et des applications scientifiques que de savoir balancer par-dessus bord les développements théoriques et les prolongements politiques aberrants propres à une école de pensée. Bien sûr il s'agit ici d'éviter de basculer le bébé avec l'eau du bain, d'éviter concrètement, sous couvert de démocratisation, d'étendre le pouvoir effectif d'une bourgeoisie, d'une bureaucratie, d'un parti ou d'une intelligentsia. Mais sous prétexte que Newton a raison et que la loi de la gravité est valide dans un schéma donné, l'on n'irait pas jusqu'à avaliser et fixer dans le ciment toutes les considérations métaphysiques qui lui ont servi au départ comme à l'arrivée.

Il s'agit moins dans ces cas-là d'erreurs, comme on se plaît à l'énoncer parfois, que des conditions préalables au développement de la pensée et de la recherche dans ce contexte ; cela ne veut pas dire que la théorie léguée par un auteur, c'est-à-dire épurée par l'histoire et d'autres découvertes, soit invalidée ou erronée. Elle a sa place et forme école. Lui trouver une autre place, la relire autrement, c'est critiquer l'école ou les écoles qui s'en réclament sans pour autant invalider un penseur et sa pensée.

La notion de démocratie, si elle peut être étudiée dans le contexte des sociétés capitalistes, et si elle doit servir à construire la critique de ces sociétés, sert également à remettre en cause l'école de pensée marxiste telle qu'elle s'est institutionnalisée dans les chaires et dans les partis dans les sociétés actuelles en tout cas. Vouloir trancher quelque part entre les deux, c'est en définitive vouloir berner les dominés d'ici ou de là-bas, c'est prétendre que la démocratie existe déjà ou qu'elle aurait existé si on avait lu autrement cet auteur-là. Ce ne sont, on le voit, que des justifications, pas des analyses.

Pour chercher à éclairer quelque peu le débat sur ces questions, il importe de montrer la place qu'occupe la démocratie dans une société de classes et de situer la lutte contre la démocratisation dans le processus de structuration de la bureaucratie d'État, qu'il soit capitaliste ou socialiste. C'est ainsi que, à rebours de ce qu'avançait Poulantzas, il faut montrer qu'il n'y a pas deux processus mais bien un seul processus, une seule confrontation, celle entre la démocratisation — sans qu'il soit besoin de distinguer pour le moment entre les formes de démocratie — et la bureaucratisation. L'État capitaliste, en particulier, est une forme de légitimation d'une bureaucratisation des contradictions sociales en général et de la contradiction entre capital et travail en particulier. Dans ces conditions, loin d'occuper un champ laissé libre ou ouvert par la marginalisation des divers processus démocratiques, comme le laisse entendre Rosa Luxemburg elle-même, la bureaucratisation apparaîtra comme un processus de récupération et de mise en veilleuse du libre exercice des « droits » démocratiques.

En d'autres termes, cela signifie tout simplement que la bureaucratisation est à la fois une structuration administrative d'un ensemble ou d'un faisceau de pouvoirs politiques et l'implantation de ce type particulier d'idéologie « objectiviste » propre au mode de fonctionnement de la société étatisée [12]. À cet égard, la bureaucratisation n'est ni la panacée d'un système capitaliste « en voie de socialisation », ni une transition nécessaire dans le passage du socialisme au communisme, ni non plus une simple excroissance aberrante d'un système social donné mais, plus prosaïquement, un mode spécifique de structuration de pouvoirs qui s'articule d'une manière qui reste encore à être déterminée et précisée autour de et contre l'espace de la démocratie. À cet égard, la bureaucratie, telle qu'on l'entend en système capitaliste en tout cas, serait une forme de réponse politique à la liberté civile propre à ce mode de production. Et ce n'est pas le moindre des paradoxes, dans ce cas précis, que cette reproduction sur une plus grande échelle puisse apparaître comme étant plus sociale ou plus démocratique, alors qu'elle ne sert souvent, au départ comme à l'arrivée, qu'à contrer, qu'à récupérer ou à faire faire les poussées des revendications sociales. C'est là une hypothèse sur laquelle nous aurons l'occasion de revenir. En ce sens d'ailleurs, l'espace de la démocratie ne renvoie ni à un univers déjà délimité ou déjà circonscrit, ni à un champ inoccupé que s'approprie l'État, mais il désigne plutôt un ensemble de pratiques démocratiques qui ont cours dans une société à un moment donné, pratiques qui, tant qu'elles subsistent dans leur autonomie propre, constituent autant d'enjeux pour les appareils de l'État dans la mesure même où l'exercice de ces pratiques pourra mettre en cause ou risquer de mettre en cause les institutions économiques et étatiques existantes. Sous cet angle, la mise en oeuvre de pratiques démocratiques constituerait bel et bien une critique du pouvoir de l'État lui-même, de son fonctionnement et de sa structuration bureaucratique.

Dans la mesure même où il s'approprierait progressivement et inéluctablement la totalité de l'espace de la démocratie grâce à la mise sur pied d'appareils bureaucratiques dans des domaines aussi divers que la santé, l'éducation ou le bien-être, l'État capitaliste tendrait évidemment à dissoudre cet espace-là où il s'exerce encore, à l'effacer là où il resurgit.

Ainsi, la bureaucratisation, loin d'être une simple « tendance », est un processus inscrit dans le fonctionnement même du système capitaliste ou du système socialiste dont c'est une des caractéristiques essentielles de fonder un recours à l'étatisme sous l'égide d'une extension toute formelle des libertés démocratiques.

Il y a à cet égard, face à la bureaucratisation, entre conservateurs, libéraux et marxistes-léninistes, des connivences objectives qu'une étude sur la démocratie ne peut ignorer sous peine de tomber à cette occasion dans le premier piège tendu par l'antidémocratisme. Car une analyse de ce genre n'atteindra pas l'objectif visé si elle ne parvient pas à poser quelques jalons susceptibles de conduire vers la reconnaissance et l'établissement de processus concrets de démocratisation ; or, la seule façon d'y parvenir, c'est de savoir reconnaître et dépister les véritables adversaires de la démocratie où qu'ils se logent dans les théories et dans les pratiques. Et ce sera d'ailleurs, fort concrètement, dans la surévaluation théorique et pratique de l'État, de la centralisation étatique et de l'appui aux formes de consolidation d'un pouvoir d'État fort dans toutes les sphères de la vie civile, que l'on verra se rejoindre réactionnaires et dogmatiques marxistes-léninistes en particulier, tous ensemble plus ou moins objectivement solidaires contre l'une ou l'autre forme de recours aux pratiques démocratiques véritables pour autant que celles-ci remettent en cause un ordre social et politique avec l'État qui le cautionne.

Par ailleurs, de ce que cette convergence objective existe, ne valide évidemment pas à nos yeux le recours à une apologie béate des formes intermédiaires de pouvoir et de toutes espèces de stratégies anti-étatiques. Cette alternative, qui débouche parfois sur une critique de tout pouvoir quel qu'il soit, qui valorise la faiblesse institutionnelle ou le spontanéisme le plus pur n'offre en fin de compte aucune issue crédible. Elle sert, plus souvent qu'autrement, de caution au pouvoir du plus fort, quand elle ne vise pas à éviter toute institutionnalisation ou toute structuration véritablement démocratique et critique contre un pouvoir en place.

Bref, il ne faut pas se le cacher, la ligne est ténue qui part de la revendication sociale d'un droit, passe par la liberté sociale de l'exercer pour conduire à un accroissement de démocratie. Ici, et à cette occasion, bien des illusions tombent et nombre de justifications tournent à faux. Mais c'est finalement le premier et le seul moyen de mettre en marche et de faire fonctionner les rouages d'une démocratisation effective et durable.

Notes :

[1] *Cf.* Michel Crozier *et al., The Crisis of Democracy. Report on the Governability of Democracies to the Trilateral Commission,* N.Y. U. Press, 1975 et Robert Moses, *The Collapse of Democracy,* Londres, Temple Smith, 1975.

[2] Pierre Elliott-Trudeau : « De quelques obstacles à la démocratie au Québec » in *Le Fédéralisme et la Société canadienne-française,* Éditions H.M.H. « Constantes », 1967, pp. 105-129.

[3] *Cf.* L'intitulé de la quatrième partie de l'ouvrage de Nicos Poulantzas, *L'État, le pouvoir, le socialisme,* P.U.F., 1978.

[4] *Cf. Le Nouvel Observateur,* n° 693, du 20 au 26 février 1978, p. 80 *sq.* Ariès indique qu'il a lui-même emprunté cette expression au livre de Philippe Meyer, *L'Enfant et la Raison d'État,* publié aux Éditions du Seuil.

[5] Richard McKeon, éditeur, *Democracy in a World of Tensions. A Symposium Prepared by UNESCO,* Paris, UNESCO, 1951.

[6] *Cf.* La contribution de Charles Bettelheim *in* McKeon, Ed., *op. cit.* pp. 1-2.

[7] *Cf.* La contribution de M.M. Bober *in* McKeon, Ed. *op. cit.* p. 21.

[8] Rosa Luxemburg, « La Révolution russe » in *Oeuvres II : Écrits politiques 1917-1978,* Paris, Maspero, Col. « Petite collection Maspéro », n° 41, p. 81.

[9] Cité par R. Luxemburg, *op. cit.,* p. 77.

[10] *Idem,* p. 85.

[11] Nicos Poulantzas, dans une entrevue accordée à *Politique hebdo*, nº 295, p. 22, sur son ouvrage, *L'État, le pouvoir, le socialisme*.

[12] Ces deux composantes de la bureaucratisation, à savoir un type particulier de structuration administrative et « l'idéologie de l'absence d'idéologie comme justification de la bureaucratie » elle-même sont inséparables. Sur celle-ci on pourra consulter Henry Jacoby, *La burocratización del mundo*, Mexico, Siglo XXI editores, 1972, pp. 295 sq. Cet ouvrage existe également en traduction anglaise.

Théorie et critique
de la démocratie

Curieusement ou significativement d'ailleurs, la notion de démocratie n'a même pas de définition claire et univoque. Bien sûr, les auteurs qui se sont penchés sur la notion ont fait valoir qu'étymologiquement le mot signifiait « pouvoir du peuple » bien que, s'il signifiait vraiment cela, il faudrait plutôt écrire « démo-archie » pour traduire le gouvernement du peuple, de la même façon que monarchie, son opposé, veut dire « gouvernement d'un seul ». Tel quel, le mot démocratie veut dire tout simplement « commandement du peuple », ou « autorité du peuple » ce qui est à la fois beaucoup plus fort que le mot pouvoir, et beaucoup plus transitoire, évanescent ou implacable aussi. Il s'oppose sous cette forme, historiquement, à l'aristocratie, l'autorité des familles, de quelques familles.

À un autre niveau, certains analystes contestent que la notion de « demos », de peuple, ait un sens et proposent de lui substituer plutôt celle de « ochlos », la masse, la foule ; il n'y aurait jamais eu de démocratie, sinon des « ochlocraties », des autorités de la masse, un gouvernement de la foule, une démagogie au sens strict.

Les considérations les plus antiques autour de la notion de démocratie auraient été commises par Périclès à l'hiver 430 avant notre ère dans une Oraison funèbre prononcée pour célébrer la mémoire des victimes de la première année de la guerre du Péloponnèse. L'extrait pertinent de cette Oraison pour notre propos est le suivant :

> La constitution qui nous régit n'a rien à envier à celle de nos voisins. Loin d'imiter les autres peuples, nous leur offrons plutôt un exemple. Parce que notre régime sert la masse des citoyens et pas seulement d'une minorité, on lui donne le nom de démocratie. Mais si, en ce qui concerne le règlement de nos différends particuliers, nous sommes tous égaux devant la loi, c'est en fonction du rang que chacun occupe dans l'estime publique que nous choisissons les magistrats de la cité, les citoyens étant désignés selon leur mérite plutôt qu'à tour de rôle. D'un autre côté, quand un homme sans fortune peut rendre quelque service à l'État, l'obscurité de sa condition ne constitue pas pour lui un obstacle. Nous nous gouvernons dans un esprit de liberté et cette même liberté se retrouve dans nos rapports quotidiens, d'où la méfiance est absente [1].

S'il faut bien reconnaître la part de l'inflation verbale dans ce genre qu'est la déploration [2], si l'on peut, en d'autres mots établir une distance critique entre la société athénienne d'alors et la rhétorique de Périclès, il n'en reste pas moins que l'idéal tracé par le chef d'État demeure tout à fait pertinent et que l'on n'a pas mieux su depuis évoquer certains aspects de la richesse de l'enjeu de la démocratie.

La définition la plus courante et la plus intéressante de la notion de démocratie est celle que l'on impute à Abraham Lincoln et qui est la reprise d'une formule fameuse lancée lors de son discours historique à Gettysburg le 19 novembre 1863 : « Gouvernment of the people, by the people, and for the people », c'est-à-dire « le gouvernement du peuple, par le peuple et pour le peuple », bien que nulle part dans son texte n'apparaisse le mot « démocratie [3] ».

Par ailleurs, l'ouvrage le plus célèbre sur la démocratie, celui dont la dernière tranche a été publiée en 1840 par Alexis de Tocqueville, *De la démocratie en Amérique*, se garde bien de définir de manière un tant soit peu univoque ce qu'il entend sous le terme de démocratie.

> Il est bien connu, écrit Harold J. Laski, que Tocqueville a confondu l'emploi du terme « démocratie », ce qui eut des conséquences sur lui-même aussi bien que sur ses lecteurs. Il n'en avait pas une conception unique et précise dans son esprit. En fait, il l'employa constamment dans plusieurs sens. Primitivement, le mot était pour lui synonyme de tendance au nivellement dans tous les aspects de la société (...) Cependant, il l'employa parfois pour signifier gouvernement représentatif. En certaines occasions, il lui attribua le sens du peuple, surtout de masses indisciplinées. Il l'employa aussi pour signifier le suffrage universel et un accroissement de l'évolution sociale vers une égalité qui balayait tout privilège, principalement dans le domaine des institutions politiques [4].

Néanmoins, et ce fait est peu relevé, de Tocqueville ne fait pas la juste part des choses en ne mettant pas en valeur les craintes qu'avaient fait valoir face à la démocratie et la démocratisation les auteurs de la Constitution américaine de 1787 de sorte que ce qui, pour Tocqueville, constitue la panacée de la démocratie — le partage des pouvoirs entre deux niveaux de gouvernement ou la multiplication des postes élus à tous les échelons de la société politique par exemple — avait bel et bien été enchâssé dans le texte final pour des motifs tout à fait inverses, pour prévenir une tendance à la démocratisation des processus politiques.

En effet, James Madison, l'un des trois rédacteurs des *Federalist Papers* — avec Alexander Hamilton et John Jay — avait justifié l'implantation de certaines mesures, qu'il s'agisse du partage des pouvoirs entre deux niveaux de gouvernement ou de la multiplication des élections, entre autres, précisément comme un recours à des institutions républicaines contre les tendances qu'il considérait à la fois néfastes et inéluctables de la démocratie [5].

À la vérité, si la démocratie n'a pas bonne presse au XVIIIe siècle c'est que l'on s'accroche alors à une définition aujourd'hui désuète du terme, celle fournie par Aristote dans *La Politique* où il définit la démocratie comme le contrôle du gouvernement par ceux qui sont libres et pas nécessairement aisés, par opposition à l'oligarchie où le contrôle est assumé par les riches [6]. C'est pourquoi des théoriciens américains lui préfèrent la république entendue comme « le gouvernement qui dérive tous ses pouvoirs directement ou indirectement de la majorité du peuple et qui est administré par des individus qui tiennent et détiennent leurs pouvoirs durant bon plaisir pour une période limitée de temps, ou durant bonne conduite [7] ». C'est pourquoi également un théoricien anglais aussi radical que peut l'être un William Godwin — considéré comme le père spirituel de l'anarchisme — ne la défend que comme un moindre mal à opposer à la monarchie et à l'aristocratie [8]. La raison de ceci tiendrait essentiellement à ce que l'on se soit contenté à l'époque d'une définition littérale ; la démocratie signifierait alors rien de plus, rien de moins que le gouvernement du grand nombre sur le petit nombre et, comme l'a fait remarquer Rousseau, qui souscrit précisément à ce genre de définition dans *Du contrat social* : « On ne peut imaginer que le peuple reste incessamment assemblé pour vaquer aux affaires publiques [9] ».

Soit dit en passant, cet argument qui est toujours en vogue aujourd'hui auprès des critiques de la démocratie, ne tient pas et c'est le Marquis de Sade qui lui apportera un démenti définitif quand il proposera précisément de soumettre la sanction de certaines lois à la volonté populaire. Il propose d'ailleurs à cet égard de distinguer entre les lois ordinaires, qui pourraient être laissées à l'appréciation de mandataires du peuple réunis dans une assemblée délibérante, et les lois constitutionnelles sur lesquelles le contrôle des citoyens devrait s'exercer de manière directe dans la mesure précisément où ces lois règlent les modalités d'exercice du pouvoir des représentants d'une collectivité sur la scène de l'histoire.

Or, de ce que cette solution n'ait pas été retenue à l'époque invalide moins l'issue envisagée par le Marquis qu'elle ne confirme que l'exercice du pouvoir, même l'exercice d'un pouvoir apparemment révolutionnaire, fait peu de cas de la lourdeur de certains mécanismes qui instaureraient une légitimité concrète et effective [10].

Il appartiendra alors à Alexis de Tocqueville entre autres, d'enrichir les significations du terme mais, ce faisant, il confond des institutions démocratiques comme le suffrage universel ou la libre circulation des opinions avec l'idée de démocratie, voire avec le processus de démocratisation.

Pour être plus précis d'ailleurs, il faudrait, à la suite de Raymond Aron relever que « dans la majorité des cas, Tocqueville désigne par le terme de démocratie un *état de la société* et non une *forme de gouvernement* [11] », distinction qui recoupe deux processus tout à fait distincts, à savoir le phénomène de la socialisation croissante dans les sociétés industrielles, qui produit un nivellement et une homogénéisation des conditions économiques et sociales auprès de la plupart des individus, et une forme particulière de gestion politique d'une société où la légitimité d'un pouvoir en place repose sur le suffrage universel, par exemple. Quoi qu'il en soit, sous ce premier sens, plus sociologique si l'on veut, le terme démocratie peut s'employer indifféremment pour désigner la société libérale contemporaine ou la société socialiste et ce n'est plus d'ailleurs dans ce sens qu'on l'emploie aujourd'hui.

Quelques années après de Tocqueville, en 1847, Friedrich Engels sera un des premiers, dans ses *Principes du communisme* à placer la revendication d'une « constitution démocratique » au coeur de l'exercice du pouvoir politique par le prolétariat. Pourtant, même si ce texte devait servir de base à la rédaction du *Manifeste communiste* publié l'année suivante, Marx et Engels ne mentionnent le terme qu'une seule fois lorsqu'il est question de la « bataille pour la démocratie » que le prolétariat doit gagner contre la classe dominante.

Ces ambiguïtés et flottements subsistent de nos jours et deux auteurs contemporains qui se sont penchés sur la question ont tenté l'un et l'autre d'apporter des définitions un peu plus serrées de la notion de démocratie.

Ainsi, Joseph Schumpeter, dans son ouvrage *Capitalisme, socialisme et démocratie* renoue avec l'interprétation classique de la science politique américaine et ne voit dans la démocratie que « le régime dans lequel la conquête du pouvoir est réalisée selon des formes « concurrentielles » propres aux luttes électorales [12] ».

Pour Schumpeter, le capitalisme est condamné à disparaître sous la pression de deux « causes internes » en particulier, à savoir « l'évaporation de la substance de la propriété » et la « désintégration de la famille bourgeoise [13] ». Le système capitaliste est animé d'une tendance inhérente à l'autodestruction qui « peut prendre la forme d'une tendance au ralentissement du progrès ».

Et c'est dans les mailles mêmes de ce système, avec le développement des monopoles privés de production que se prépare une transition vers le socialisme où la bureaucratie « est un complément inévitable de — et non un obstacle à — la démocratie [14] ». Il faut voir ici que la « démocratie ne saurait être tenue pour un idéal suprême. La démocratie est une méthode *politique*, en d'autres termes, un certain type d'organisation institutionnelle visant à aboutir à des décisions politiques — législatives et administratives — et, par conséquent, elle ne peut constituer une fin en soi, indépendamment des décisions qu'elle sécrète dans des conditions historiques données. C'est précisément cette conception fonctionnelle qui doit servir de point de départ à toute tentative visant à définir la démocratie [15]. »

Quant à Alain Touraine, il définit la démocratie non pas tellement comme un « mécanisme institutionnel, un ensemble de garanties pour les minorités ou (la) soumission des dirigeants à un libre verdict populaire — définitions importantes mais partielles », mais comme « la conscience, librement formée et exprimée, de la légitimité des modes d'utilisation du produit du travail individuel et collectif [16] ».

Toutefois Touraine n'en reste pas là et, plus loin, poursuivant l'étude du système politique, il développe une typologie articulée autour de quatre « dimensions fondamentales » (mobilisation, progrès, démocratie et gratification) qui lui permet ensuite de distinguer entre seize types de régime au total selon qu'est présent ou absent tel ou tel des quatre éléments de base retenus, dont quatre types de dictature et pas moins de neuf formes de démocratie allant depuis la démocratie libérale-progressive, la démocratie autoritaire, la démocratie distributive, la démocratie ritualiste, en passant par la démocratie du bien-être, la démocratie stagnante, la démocratie libérale-populaire, jusqu'à la démocratie nationale [17].

Il s'agit ici d'autant de dimensions ou de possibilités idéales de fonctionnement des institutions politiques et, en particulier, de cette « organisation » nationale par excellence qu'est, pour Touraine, « l'État sociétal ». La démocratie s'entend moins, dans ces conditions, d'un réseau de pratiques que d'un mécanisme de « liaison » entre « le progrès économique et la gratification des citoyens [18] ». Et si l'industrialisation à son stade actuel appelle « une intervention plus forte et plus directe de l'État », celle-ci peut fort bien s'accommoder d'une démocratie de masse ou d'une démocratie sociale.

À la vérité, le mot « démocratie », tel qu'il est utilisé dans ce contexte, désigne deux ordres de réalité tout à fait différents : on appelle ici « démocratie » la mise en marche de mécanismes de réaction enclenchés sous l'égide de mouvements sociaux contre un ordre établi, contre le raffermissement d'un contrôle public sur les individus ou les collectivités, contre une décision politique et, tout à la fois, les modalités de fonctionnement de cette prise de conscience ou de cette mobilisation dans un « État sociétal » donné ou dans un contexte social donné.

On peut alors être amené à penser que la civilisation industrielle et la croissance de l'État appellent plus de démocratie dans la mesure même où, avec le développement capitaliste, les formes et les modalités de contestation se multiplient et se complexifient. La démocratie, dans ces conditions, se définit comme une forme de prise de conscience collective contre les oppressions, séparations et enjeux divers qui peuvent résulter de l'aliénation capitaliste.

La démocratie c'est, en ce sens précis, la capacité d'une société d'intégrer ses contradictions sociales et de les résorber soit en autorisant l'institutionnalisation de cette contestation — dans un syndicat, par exemple — soit en réprimant la cause de discorde sans institutionnaliser quoi que ce soit — en interdisant aux patrons de châtier leurs ouvrières, par exemple [19].

Prendre conscience collectivement de quelques-uns des nombreux « effets sociaux négatifs [20] » de la croissance capitaliste, que ce soit des séquelles sociales désastreuses causées par la fermeture d'usines, que ce soit des conséquences humaines, sociales, animales ou physiques de la pollution industrielle, qu'il s'agisse de santé et de sécurité au travail ou d'évictions de domicile pour faire place à une autoroute, ou à un terrain de stationnement, prendre conscience de tout cela séparément ou en bloc ce n'est pas en soi démocratique. Il faut encore que cette prise de conscience collective s'articule, se développe et s'approfondisse d'une part, qu'elle se trouve des prolongements juridiques ou pratiques bref, qu'elle s'institutionnalise ou se formalise contre les pratiques contestées d'autre part. Le terme de démocratie peut alors s'entendre soit de la simple possibilité de coexistence de consciences, de consensus différents, divergents ou antagoniques dans le cadre plus large de l'État-nation, soit de la remise en cause de ces pratiques socialement intolérables.

Problème du pluralisme des idéologies, problème du pluralisme des pratiques et des institutions. Il y a bien sûr un paradoxe à relever ici : comment l'État peut-il être à la fois cette institution qui s'édifie sur un certain étouffement des pratiques démocratiques et l'institution qui cautionne dans une Constitution ou autrement l'existence de pratiques démocratiques peu ou pas compatibles entre elles ?

John Stuart Mill, dans un ouvrage consacré à l'analyse du gouvernement représentatif apporte un éclairage intéressant au problème qui nous préoccupe quand, à la suite de Hegel, il établit une distinction entre « l'idée pure de la démocratie » et « l'idée courante » ou la pratique courante de la démocratie.

En vertu de la première signification, la démocratie s'entend du gouvernement de tous par tous ; c'est, au niveau le plus général ou abstrait, le sens qu'on lui retrouve aujourd'hui dans l'expression « démocratie populaire » telle qu'elle est utilisée pour désigner les régimes politiques de l'Europe de l'Est. Car c'est bien, en effet, au seul niveau de « l'idée » que l'on se fait des régimes en question qu'il est possible de justifier de parler de « démocratie populaire » dans ces cas-là, alors qu'à un niveau plus pratique, plus concret, il s'agit plutôt de régimes antidémocratiques, d'un système politique et judiciaire de persécution de la classe ouvrière par l'État, par le Parti, par leurs armées et par certains de leurs intellectuels.

Il est significatif, au passage, de relever que ce genre de retournement de sens, cette déconnexion entre l'idée que l'on se fait d'un régime et les pratiques effectives de répression qui ont cours dans cette société, sont plus souvent dénoncés qu'analysés. Or, c'est justement en étudiant cette question que l'on est susceptible d'expliquer ces revirements et de comprendre les fondements des pratiques sociales et les modalités de l'exercice du pouvoir de classe en particulier.

Mais, pour revenir à J.S. Mill, la seconde signification qu'il trouve dans la notion de démocratie, c'est celle qui circonscrit un système de gouvernement de la majorité, quelle que soit la manière dont est établie cette majorité par ailleurs ; quel que soit, en d'autres mots, le mode de représentation, et donc la légitimité sociale, de cette « majorité ». On a dès lors pu, historiquement, appeler « démocratiques » des régimes où étaient bafoués les droits des « minorités », où ni les femmes, ni les ouvriers n'avaient droit de vote, par exemple.

Cette seconde signification donne lieu à autant de méprises que la première, mais de manière différente, puisqu'ici la légitimité du pouvoir de la majorité repose en définitive sur deux processus distincts donnés respectivement dans le rapport entre cette majorité et les minorités qu'elle gère ou qu'elle étouffe d'une part et dans les modalités d'exercice du pouvoir de cette pseudo-majorité d'autre part.

Comment est établie la compilation de la majorité ? Comment sont établies, perçues ou ignorées les minorités plus ou moins agissantes ? Le pouvoir des seuls mâles propriétaires a pu longtemps être donné comme un pouvoir de la majorité, malgré qu'ils n'aient au total représenté qu'une minorité possédante et agissante. Dans ces conditions, minorités nationales, ouvriers, femmes, enfants et déviants sont basculés tous ensemble et tous uniment dans un « no man's land » social et historique, au niveau des minorités justement alors que, tout compte fait, l'ensemble de ces minorités constitue toujours et partout, en vertu du seul poids démographique, la majorité des individus dans une société.

Et, pour ajouter un autre paradoxe à celui que nous venons d'indiquer, le pouvoir de la soi-disant majorité elle-même est toujours exercé par une minorité de cette majorité !

Dans un autre ordre d'idées, le pouvoir des seuls mâles propriétaires ou professionnels peut être le seul pouvoir effectif qui s'exerce au niveau de l'État, aussi bien à l'Exécutif, que dans le Parlement ou au sein du pouvoir judiciaire, tandis que, au niveau formel ou constitutionnel, l'égalité entre sexes, races et nations peut être hautement proclamée.

Cette égalité, toute formelle qu'elle soit, aura des prolongements sociaux concrets si, et seulement si, certaines institutions sont contraintes de l'implanter. C'est ainsi que, par exemple, dans nos sociétés les tribunaux peuvent réparer le tort commis après que la discrimination ait été constatée ou prouvée, ils ne peuvent en rien modifier le rapport concret entre les classes ou entre les sexes dans la société. C'est ainsi que l'on peut caractériser la démocratie libérale comme étant celle où les rapports sociaux d'ensemble ne sont pas remis en cause mais où, par contre, le système est suffisamment souple pour intégrer la contestation individuelle permanente de la femme, du Noir, de l'écolier, du militant, sans que, en temps normal, cela puisse affecter l'équilibre ou l'ordre social.

Dans de telles circonstances, la démocratisation ne devient ni plus ni moins que le « prix » juridique à payer pour garantir une tranquillité sociale minimale. On a alors l'impression que la société elle-même évolue tandis que ce ne sont que quelques personnes qui sont touchées par les condamnations et les réparations de sorte que tout doit toujours être renégocié à partir de zéro dans chaque cas.

Une démocratie antidémocratique ?

Pendant que nous en sommes à décortiquer le sens du mot « démocratie » et avant d'aller plus avant dans les nombreuses significations du terme, il peut s'avérer utile de relever les importantes différences entre le substantif « démocratie » et le qualificatif « démocratique ».

La démocratie caractérise d'abord un système politique, subsidiairement seulement un système ou un régime économique ou un système social, à telle enseigne d'ailleurs que lorsque l'on utilise les expressions « démocratie économique », « démocratie sociale » l'on se réfère d'entrée de jeu à des modalités de politisation d'un système économique ou social, à l'injection dans ces systèmes ou sous-systèmes de critères de responsabilité, de représentation propres en principe à la légitimité politique.

À un autre niveau, dire d'une institution ou d'un appareil qu'il est, ou n'est pas, démocratique, c'est se prononcer sur la nature du fonctionnement de l'institution ou de l'appareil en question ; le jugement — car c'en est un — qui intervient ici est de caractère essentiellement moral ou éthique. En ce sens, et aussi contradictoire que cela puisse paraître, une démocratie peut ne pas être — ou être bien sûr — démocratique. Tautologie ? Truisme ? Pas du tout. Le terme par lequel se caractérise une institution n'est pas nécessairement celui qui doit servir à la caractériser, à l'analyser ou à l'étudier, surtout du point de vue des opposants. C'est ici qu'intervient la notion de pratique démocratique. Car c'est dans la mouvance entre le mot, la chose et les modalités effectives d'opérationalisation d'un réseau de pratiques que la critique peut débusquer cette distance entre l'idéal et le concret, entre la forme et le contenu. Démarche qui permet justement de tourner et de retourner la critique contre les formes mortes des méconceptions ou des illusions qui aveuglent sur les pratiques effectives et donnent toutes leur sens aux pratiques émancipatrices ou subversives des laissés pour compte de cette démocratie-là. Un parti peut se dire démocratique, un État peut se prétendre démocratique, une école peut s'afficher démocratique et ils peuvent bien effectivement ne pas l'être du tout.

Tout est ici affaire de distance. Distance, nous l'avons relevé, entre le mot et la chose, mais distance également, et surtout, entre l'idée que l'on se fait d'un système et le système tel qu'il opère, concrètement, socialement.

Cette distance-là n'est pas réductible. L'on ne pourra jamais, en d'autres mots, intellectualiser les choses comme elles sont. La notion figée ne peut pas rendre compte de toutes les pratiques : la démocratie est un enjeu plutôt qu'un état de fait et c'est d'ailleurs ce qui fait toute la richesse de la notion.

Mais on peut par contre établir ou « mesurer » un espace de la démocratie, opposer des pratiques les unes aux autres et par là, réinstaurer la légitimité des pratiques critiques ou subversives contre la légitimité des pratiques partisanes, élitistes ou plus platement démagogiques qui opèrent sous couvert de démocratie. Ces légitimités sont contradictoires, antagoniques et l'opposition se répercutera aussi bien sur des théorisations que sur des pratiques sociales et politiques données.

Pourquoi en va-t-il ainsi? Essentiellement parce que la démocratisation par définition s'oppose aux institutions existantes figées, ces réseaux de fonctionnements normalisés, avec leurs réglementations, leurs discriminations propres.

Il suit de ce que nous venons de voir que l'enjeu de la démocratie demeure essentiellement une revendication contre un pouvoir institué. Mais pas de n'importe quel pouvoir sinon une revendication dans des contextes où le recours à la rationalité économique ou politique force à marginaliser toute forme de concertation ou de légitimation populaire sous prétexte que la démocratisation est fondamentalement irrationnelle ou que la démocratie existe déjà, au niveau formel, dans une loi, un Code ou une charte.

Sur ce terrain de l'antidémocratisme se rejoignent aussi bien les scientifiques du socialisme pour lesquels la démocratie existe déjà pour autant qu'un régime politique fonctionne avec un parti unique qui prétend représenter l'ensemble du peuple, que tous ceux qui croient à une Raison politique détachée des contingences à laquelle tout être raisonnable devrait d'emblée se soumettre. Pour éclairer cet aspect de l'analyse, nous allons revenir sur quelques auteurs qui ont approfondi la critique de la démocratie.

Approches critiques de la démocratie

Si, au XVIIIe siècle, des penseurs comme Montesquieu, Rousseau ou Godwin ont pu fonctionner avec une définition très restrictive de la démocratie et aborder plutôt des questions de la légitimité des gouvernements et celle de la souveraineté populaire, voire militer en faveur de la république, une autre tradition, plus philosophique d'inspiration, ne s'attache pas tant à l'étude des gouvernements et aux modalités d'exercice des pouvoirs politiques qu'à l'analyse de l'État et du droit. Ce courant cherchera à dégager une raison dans l'histoire et à construire une science de l'État. Ici, ce sont les noms de Platon, d'Aristote, de Kant ou de Hegel qui viennent à l'esprit.

Si, pour les premiers, la question de la démocratie est abordée de front et constitue à tout le moins une menace ou un enjeu sérieux, pour les seconds, elle est subsidiaire à telle enseigne d'ailleurs qu'un auteur comme Marx, prenant directement sa source et ses développements dans une lecture critique des travaux de Hegel, sera dans sa jeunesse particulièrement sévère à l'endroit de la démocratie.

Dans *La Question juive* entre autres, Marx établira un saisissant parallèle entre le christianisme et la démocratie, allant jusqu'à écrire que la notion elle-même est en quelque sorte contaminée par une vision religieuse ou théologique de l'homme : « Chrétienne, la démocratie politique l'est en ce que l'homme... y est considéré comme un être souverain [21]. »

À quoi bon alors se pencher sur des modalités d'exercice d'un pouvoir politique si c'est l'État lui-même qui pose et impose la coexistence de deux mondes au sein de la société, celui de l'intérêt particulier et celui de l'intérêt général, deux mondes que l'on retrouve dans tous et chacun des individus ainsi « aliénés » qui chevauchent sans s'en rendre compte ces deux univers qui imprègnent, sur le plan individuel, l'insurmontable coupure entre l'homme souverainement isolé dans sa propriété privée et le citoyen ? À quoi bon, en d'autres mots défendre des droits et une liberté si l'État lui-même impose des contraintes insurmontables ?

> Les droits de l'homme distincts des droits du citoyen ne sont rien d'autre que les droits du membre de la société civile, c'est-à-dire de l'homme égoïste, de l'homme séparé de l'homme et de la communauté [22].

Hegel, critique de Rousseau, avait montré que l'hypothèse d'un « contrat social » préalable qui lierait les hommes entre eux sur la base d'une égalité naturelle de départ était intenable, théoriquement aussi bien qu'historiquement. Dans ces conditions, la « souveraineté du peuple », posée par Rousseau comme point de départ et point d'arrivée de toute légitimité ou de toute légitimation de l'exercice du pouvoir en général et de la validation des lois en particulier, n'était pas tenable non plus, précisément parce que l'État instaure et cristallise cette insurmontable coupure entre le propriétaire et la « masse ». Le premier seul est, théoriquement et pratiquement souverain, il est de surcroît instruit et ses intérêts seuls sont susceptibles de trouver leur prolongement au niveau politique tandis que les autres ne constituent qu'une masse précisément, une classe ignare et informe. Si la théorie de l'État trouve ses assises dans l'institution de la propriété privée et si la raison est l'établissement de cette connexion entre l'intérêt privé du propriétaire et les intérêts généraux des propriétaires, la théorie de l'État ne peut sous cet angle faire droit de cité aux non-propriétaires, aux prolétaires. Le peuple a beau avoir un poids démographique, il n'a aucune existence politique.

N'ayant aucun intérêt privé spécifique, il ne possède pas non plus la connaissance de quoi que ce soit, il est non seulement aliéné — comme l'est le bourgeois — mais il est surtout incapable subjectivement et objectivement de surmonter cette division sur lui-même par la connaissance.

Si la vision rousseauiste, à la fois idéaliste et populiste, a peut-être pu avoir des prolongements révolutionnaires en France dans la *Déclaration des droits de l'homme et du citoyen* de 1793, il n'en reste pas moins que ce ne sont ni le contrat social, ni la souveraineté populaire qui sont au coeur des rapports que nouent les hommes dans la société civile, mais les seuls rapports entre la propriété privée et l'État. Eric Weil pose ainsi la question :

> Comment (Hegel) a-t-il pu s'opposer à toutes les aspirations du « libéralisme », du nationalisme, de la démocratie, à toute cette idéologie de gauche du XIXe siècle qui, dans une très large mesure, constitue encore l'idéologie de nos jours et un des fondements de toutes les propagandes[23] ?

Le point de départ de la critique hégélienne est l'individualité justement : « L'individualité peut-elle être raisonnable en tant que telle ? Le raisonnable n'est-il pas nécessairement l'universel[24] ? »

D'où il suit que ce ne saurait être de l'individu qu'il faille partir mais « de la nécessité du passage du monde moral et du sentiment à l'État » ; c'est là le fondement d'une théorie de l'État, d'une « science de l'État » homologue à une science de la nature [25]. Il y a donc une nécessité de l'État, une nécessité de « l'idée de l'État (qu'il ne faut pas confondre avec) des États particuliers ni des institutions particulières [26] ». Et Weil ajoute :

> Ainsi est posé explicitement ce qui, jusqu'ici, n'était vrai qu'aux yeux du philosophe : l'opposition entre la volonté universelle qui n'est qu'en soi (...) et la volonté individuelle qui n'est libre que pour elle-même. Ce sont le droit (civil) et le crime (pénal) qui révèlent la justice comme l'objet de la volonté profonde, qui opposent l'arbitraire à la liberté, l'aliénation à la raison [27].

Si donc Rousseau voyait dans la légitimité du gouvernement républicain le prolongement de contrats individuels, de volontés individuelles, Hegel part d'une autre dimension, universelle et collective, la volonté collective. Non pas cette volonté qui prendrait sa source dans une « morale concrète » ou dans un droit naturel transhistorique, plutôt cette volonté telle qu'elle existe réellement dans l'État, dans l'idée de l'État. C'est ici, au passage, que l'on peut cerner ce qu'il y a d'idéaliste chez Hegel, si l'on donne à ce terme le sens strict suivant lequel on qualifierait ainsi celui qui investit l'idée ou l'idéal d'une certaine matérialité.

Ces développements ne sont d'ailleurs pas si abstraits qu'il y paraît de prime abord puisque cette « idée morale » s'actualise en quelque sorte dans la Constitution de l'État qui constitue bel et bien le sommet ou le *summum* de cette réalité collective auquel un peuple peut aspirer, de sorte que « l'État moderne n'est pas une organisation qui enferme les citoyens, il est *leur* organisation [28] ».

Cet État est pourtant loin d'être aussi idéal, aussi neutre parce que, récusant tout d'un bloc la possibilité même d'une souveraineté populaire à l'état pur en quelque sorte si chère à Rousseau, c'est vers le prince, vers le monarque que Hegel se tourne pour réaliser l'État :

> (Mais) la souveraineté populaire prise en opposition à la souveraineté qui existe dans le prince... est une de ces idées confuses qui se fondent sur l'imagination grossière et frustre qu'on a du peuple. Le peuple, pris sans son prince et sans l'organisation

> du tout qui s'y rattache nécessairement et immédiatement, est
> la masse informe qui n'est plus un État et à laquelle ne revient
> plus aucune des déterminations qui n'existent que dans le tout
> formé en lui-même — souveraineté, gouvernement, tribunaux,
> autorités, États représentatifs [29].

Comme le souligne Eric Weil encore, c'est à une interprétation étroite, nationaliste du peuple que Hegel s'en prend ici,
même si, du coup, il bascule également par-dessus bord les
expériences véritablement révolutionnaires qui ont pu être
menées par le peuple souverain, à l'occasion de la Révolution
française notamment.

En fait, chez Hegel, la souveraineté populaire est susceptible de s'exprimer dans un Parlement — pouvoir législatif — par
exemple, mais cela ne constitue pas tout le pouvoir puisqu'il
doit composer avec la souveraineté du prince — le pouvoir exécutif. Entre les deux toutefois, il reste que le fonctionnariat,
la bureaucratie, « n'étant politiquement rien... est tout dans
l'organisation de l'État ». Citant Hegel, Eric Weil poursuit :

> Or, le peuple, si ce terme désigne un groupe particulier des
> membres d'un État, constitue la partie qui ne sait pas ce
> qu'elle veut. Savoir ce que l'on veut, voire ce que veut la
> volonté qui existe en et pour elle-même, la raison, cela est le
> fruit d'une connaissance et d'une intelligence profondes, qui
> justement ne sont pas ce qui caractérise le peuple. Quand on
> veut réfléchir, on trouvera que la garantie que représentent
> les États (les Parlements, dirait-on aujourd'hui) pour le bien
> commun et la liberté publique ne se trouve pas dans l'intelli-
> gence particulière de ces États, car les fonctionnaires supé-
> rieurs possèdent nécessairement une intelligence plus pro-
> fonde et plus vaste de la nature des institutions et des besoins
> de l'État [30]...

En définitive, pour Hegel, « ce n'est que dans l'État que la
société s'organise selon la raison [31] » et il n'en reste pas moins
que cette raison-là c'est encore celle qui prévaut aujourd'hui et
qui a pu légitimer l'extraordinaire croissance des États
contemporains.

Sous cet angle, la théorie de Hegel est juste précisément
parce qu'elle a su prévoir ce glonflement de l'État [32] ; au

tribunal de l'Histoire, comme dit l'autre, Hegel a eu raison contre Marx.

Pourtant, arrivé à ce stade de l'analyse, c'est le point d'arrimage de la critique de Marx que nous pouvons d'ores et déjà saisir : si l'État sauve à tout le moins la bourgeoisie, il reste que « la révolution ne sera réalisée comme oeuvre de libération totale de l'homme que par — et, citant maintenant Marx, Eric Weil poursuit — « la formation d'une classe portant des chaînes radicales, (...) qui, d'un mot, est la perte totale de l'homme et ne peut donc se regagner qu'en regagnant l'homme totalement. Cette dissolution de la société comme État particulier est le prolétariat[33]. »

Nous aboutissons ici au coeur, au fondement de la critique marxienne de l'État. Il ne peut plus être question, dans ces circonstances, de s'arrêter aux formes historiques que peut ou pourrait revêtir l'État moderne. Monarchie, aristocratie ou démocratie sont des variantes d'une Raison piégée, la Raison d'État, et c'est cette raison-là que le prolétariat doit attaquer pour se libérer, pour libérer l'homme et dépasser la contradiction entre intérêts privés et intérêts généraux, entre le sujet de droit et le citoyen pour, éventuellement, jeter les bases d'une démocratie nouvelle, bien que Marx n'use pas du terme dans le contexte de sa critique du capitalisme.

En subvertissant ainsi la théorie hégélienne de l'État, Marx se trouve du même coup à illégitimer les modalités d'exercice d'un pouvoir politique propre à l'État. En remplaçant une science de l'État par une critique de l'économie politique, les contradictions autres que la contradiction entre classes sociales sont évacuées du domaine du théorisable : le prolétaire est internationaliste par nécessité, par vocation. Les conflits entre les sexes, entre les générations, entre « normaux » et « déviants » sont condamnés à dépérir en même temps que dépérit l'État.

C'est donc prendre une sérieuse mesure de l'extraordinaire avance en même temps que du retard accumulé par la conscience prolétarienne et par l'étatisme que de faire état de la justesse des analyses de Hegel et de son prolongement critique chez Marx à l'époque, même si cette avance et ce retard se paient au prix d'une méconnaissance des possibilités de libération sociale de la démocratisation aujourd'hui.

En fait et en droit, à un niveau théorique, la société civile bourgeoise se serait plutôt consolidée qu'effritée et la permanence de la solution étatique, du recours à l'État, et le gonflement des États seraient là pour attester de la « scientificité » de l'approche de Hegel contre le peu d'emprise sociale historique réelle de la critique marxiste dans sa variante théorique pure en tout cas.

En effet, la critique politique et juridique de Marx fait un saut qui allait constituer une lourde hypothèque pour la pensée marxiste après lui et ce, à deux niveaux distincts. À un niveau théorique d'abord puisque là où Hegel ne repérait pas certaines contradictions fondamentales propres à la société civile bourgeoise, Marx ne les théorisera pas non plus, de sorte qu'il ne sera pas amené à circonscrire dans ses analyses l'exploitation des femmes dans la famille conjugale bourgeoise, non plus que la fonction de la criminalité dans la société. À un niveau historique ensuite, dans la mesure où le problème de la transition au socialisme, avec la survivance d'une panoplie d'institutions plus ou moins représentatives, avec la question des libertés civiles — liberté de presse, droit de vote, droit de parole, d'assemblée, etc. — sera laissé en plan et rabattu à un niveau plus ou moins contingent, subsidiaire ou secondaire par le courant dominant de ses successeurs. Rétrospectivement, ces lacunes ont été tragiques pour la classe ouvrière elle-même qui s'est ainsi trouvée contrainte pour survivre et progresser de revendiquer plus de libertés civiles dans la société libérale et qui n'a même pas pu conserver un minimum de libertés civiles dans la quasi-totalité des sociétés socialistes où elle se trouve aujourd'hui formellement au pouvoir.

Nous avons échappé le mot « lacune » et une mise au point s'impose. Il ne s'agit pas d'une lacune dans la pensée du jeune Marx, ni non plus — ce qui serait absurde — d'une lacune historique. S'il y a lacune c'est du côté des théoriciens et de la pratique de la démocratie, telle qu'elle a cours à l'époque qu'il faut aller la chercher. Il n'y a pas dans la première moitié du XIXe siècle, d'institutionnalisation de la démocratie, sinon des tactiques plus ou moins autoritaires ou démagogiques de gouvernement. Pire, la démocratie est alors bien plus souvent un paravent qu'un enjeu, un maître mot dans la bouche des ténors de

pouvoirs autocratiques ; cette démocratie-là devait être atta-
quée de front et illégitimée par le développement d'une science
ou d'une critique de l'État. Par un curieux renversement, les
premiers socialistes, sans s'être outre mesure penchés sur la
théorie de la démocratie, se trouveront, dans les faits, à ouvrir
tout un nouvel espace qu'occupera désormais la critique du
capitalisme et de ses institutions, espace éminemment démocratique s'il en fut jamais !

Car ce sont bien les théories et les pratiques subversives des
premiers socialistes ou plus largement des premiers dirigeants
du mouvement ouvrier qui illégitimeront les stratégies sociales
et politiques autocratiques proposées ou imposées par les classes dominantes ; elles également qui contraindront ces mêmes
classes dominantes à lâcher du lest et à reconnaître des droits
à la classe dominée : droit de grève, droit de critique, droit de
contestation, autant de droits qui ouvrent sur un espace
démocratique.

Pour tâcher d'expliquer quelque peu la position de certains
courants marxistes face à la démocratisation, c'est du côté de
la pensée du jeune Marx et de ses prolongements dans un
marxisme dogmatique que nous allons nous tourner. Il s'agit
pour nous de cerner les fondements de la critique marxienne
et les rationalisations de ses épigones contre une Raison d'État
qui les nargue à travers cent ans d'histoire.

« Le Jeune Hegel » de Lukacs

Le projet de Lukacs quand, à son tour, il s'attaque au fantôme de Hegel, n'est pas sans parenté avec celui de Weil. Il lui
est antérieur de quelques années [34] mais l'idée est là qui consiste à vouloir avancer la thèse de la paternité de Hegel sur le
développement d'une théorie scientifique de l'État, à vouloir
surtout contrecarrer les interprétations selon lesquelles Hegel
n'aurait été qu'un réactionnaire grand-prussien.

Pour justifier en effet l'extraordinaire filiation entre Hegel
et Marx il n'est pas possible de coincer Hegel dans les limites
de la réaction. Il fallait au contraire cerner chez cet auteur les
éléments scientifiques nouveaux à partir desquels Marx était

justifié d'opérer ce fameux « renversement », sans quoi le
jeune Karl aurait pu tout aussi bien se mesurer à Saint-Thomas
d'Aquin, à Rousseau ou à n'importe qui.

Pourquoi Hegel ? Parce que Hegel constitue et représente
le sommet de la pensée philosophique et scientifique de son
temps, de tous les temps disent certains. Et si Hegel est le cer-
veau qui a, le premier, développé la science de l'État, la critique de Hegel doit en même temps être une critique de l'État.
Renverser Hegel, c'est poser, contre le processus raisonnable
du développement de l'État, la rationalité de l'enjeu de son
dépérissement.

Lukacs entend donc « établir une ligne de pensée marxiste-
léniniste autour de ce problème... tout en assimilant les percées
philosophiques effectuées durant la phase léniniste-staliniste
du marxisme [35] ». La visée est claire, encore que, en travaillant sur le jeune Hegel précisément, Lukacs limitera son
analyse considérablement en ne prenant à peu près pas en
compte les *Principes de la philosophie du droit* qui datent de
1821, c'est-à-dire de la fin de la carrière de l'auteur.

De quoi s'agira-t-il alors ? Essentiellement, en concentrant
l'analyse sur les années 1793-1807, de battre en brèche l'interprétation qui fait d'un Hegel cet homme obnubilé par la
théologie et les positions politiques réactionnaires, pour faire
valoir surtout son intérêt pour les dimensions théoriques
de certains aspects progressistes de la Révolution française
et pour faire ressortir par la même occasion ses critiques
fort acerbes à l'endroit du christianisme et du despotisme
que la religion a imposé à l'Europe tout au long de son
histoire. Ce Hegel-là en particulier a été un juge impitoyable
du Moyen-Âge et un défenseur des républiques grecque et
romaine de l'Antiquité.

Cette approche conduit Lukacs à mettre en valeur la
richesse de la méthode dialectique de Hegel : « Si Hegel brise
spontanément les limites de la pensée métaphysique, cela est
dû pour partie à sa conscience historique, pour partie à son irré-
sistible besoin de liberté issu de l'impact qu'a eu sur lui la Révolution française [36] ».

Pour ce qui concerne plus précisément notre thème, l'enjeu
de la démocratie, Lukacs écrit :

Même si l'idéologie jacobine de la ressurgence des démocraties classiques s'est avérée n'être autre chose qu'une illusion héroïque de révolutionnaires plébéiens, elle n'était pas pour autant entièrement arbitraire. Ses défenseurs fondaient leur approche sur des prémisses socio-économiques réelles [37].

Mais n'était-il pas illusoire de penser que l'égalité matérielle ou économique pouvait être établie dans le cadre de la société capitaliste ? Et n'était-il pas doublement illusoire de penser pouvoir fonder une république démocratique, c'est-à-dire d'institutionnaliser une égalité politique dans un tel contexte ?

Reprenant à son compte la critique dévastatrice de Marx dans *La Sainte Famille*, Lukacs poursuit :

> Marx a, sans ménagements, démasqué le caractère illusoire de l'aspiration jacobine à faire revivre la tradition classique, en analysant les circonstances économiques radicalement différentes qui sous-tendaient les deux mouvements [38].

Plus avant, « (l')illusion des révolutionnaires jacobins réside « uniquement » dans cette incapacité de prendre acte du fait que leur projet révolutionnaire n'avait pour résultat que de libérer les forces conduisant au développement capitaliste [39] ».

Cette condamnation sans rémission du projet des révolutionnaires jacobins qui inscrit leur échec dans une bizarre « incapacité de prendre acte » à la fois trop abstraite et trop confuse, conduit Lukacs à faire de Hegel, ce critique du jacobinisme, le théoricien de la liberté et de l'État bourgeois. Cette démarcation permet à tout le moins d'expliquer que, se détachant complètement d'un certain projet radical porté par la Révolution française, Hegel fait un saut théorique et politique par-dessus cette époque pour inscrire plutôt dans la cité grecque la source et la rationalité profonde de la raison d'être de l'État bourgeois. Pour Hegel, l'histoire de l'humanité n'en était pas moins l'histoire de la conquête de la liberté humaine [40], liberté conquise et assurée, théoriquement en tous les cas, grâce à l'institution de la propriété privée. Et c'est ce qui le conduira à s'intéresser aux problèmes afférents à la propriété et au travail « en tant que mode fondamental d'interaction entre l'individu et la société [41] » et à s'intéresser, par voie de conséquence, à l'étude de l'économie politique, démarche qui portera les fruits que l'on sait avec l'approfondissement de la critique de l'économie politique opérée par Marx lui-même.

Si la société capitaliste est la seule — ou la première en tout cas — société rationnelle, c'est-à-dire fondée sur les approfondissements et les canons scientifiques les plus avancés, il ne saurait y avoir, en théorie du moins, de conflit entre la raison et la liberté dans cette société. Mais de ce que les conflits subsistent justement, il faut qu'une institution au-delà des individus subsume ces oppositions-là. Cette institution, c'est l'État.

Si, prenant la suite de Hegel, Marx critique impitoyablement toutes les institutions bourgeoises, sa pensée sur la démocratie a évolué et il a été amené à rajuster ses positions théoriques premières sur ce thème malgré que ces revirements soient peu théorisés ou théorisables dans le cadre d'ensemble de sa ou de ses problématiques.

À cet égard, déjà le *Manifeste communiste* de 1848 est plus souple dans son approche à la question de la démocratie et, beaucoup plus tard, en 1875, la *Critique du programme de Gotha* ouvre sur une dimension nouvelle par rapport à cet enjeu.

Enfin, ses considérations sur la Commune de Paris de 1870 le conduiront, lui et Engels d'ailleurs, à récupérer certaines des innovations politiques proposées et appliquées par les Communards. Néanmoins ces aspects de la pensée de Marx et d'Engels n'ont pas été intégrés au système dans son ensemble par le courant dominant chez les successeurs de Marx et d'Engels essentiellement pour deux raisons : d'abord parce qu'ils entraient en contradiction flagrante avec d'autres textes — le *Socialisme utopique et socialisme scientifique* d'Engels, en particulier — ensuite parce qu'ils allaient à l'encontre des intérêts politiques immédiats de ces intellectuels marxistes en tant que membres de partis.

Quoi qu'il en soit, le plus sévère et le plus ambigu aussi face à l'enjeu de la démocratisation sera Lénine lui-même qui, en propulsant le parti et le rôle d'une avant-garde révolutionnaire à l'avant-scène se trouvera alors à hypostasier la tactique aux dépens des pratiques sociales populaires véritablement progressistes ou même révolutionnaires. C'est, inévitablement, la mise au rancart du pouvoir des Soviets qui surgit ici comme question fondamentale mieux, comme révélateur à la fois d'une impossibilité théorique et historique, l'impossibilité, dans le contexte de la Révolution russe en tout cas, d'établir la jonction entre démocratie et socialisme autrement qu'au niveau le plus formel, c'est-à-dire, au strict niveau idéologique, puis tactique, en ayant recours à la démocratie directe pour court-circuiter une institutionnalisation du pouvoir ouvrier.

Cornélius Castoriadis relate à cet égard une anecdote passablement significative qui mérite d'être rapportée :

> Un bel exemple, qui concerne à la fois le symbolisme du langage et celui de l'institution, est celui du « soviet des commissaires du peuple ». Trotsky relate dans son autobiographie que lorsque les bolcheviks se sont emparés du pouvoir et ont formé un gouvernement, il a fallu lui trouver un nom. La désignation « ministre » et « Conseil des ministres » déplaisait fort à Lénine, parce qu'elle rappelait les ministres bourgeois et leur rôle. Trotsky a proposé les termes « Commissaires du peuple » et, pour le gouvernement dans son ensemble, « Soviet des commissaires du peuple ». Lénine en a été enchanté — il trouvait l'expression « terriblement révolutionnaire » — et ce nom a été adopté [42].

Il n'en reste pas moins, dans ce cas précis et comme le relève l'auteur, que le changement n'était que nominal puisque, « au niveau intermédiaire qui allait se révéler décisif, celui de l'institution dans sa nature symbolique au second degré, l'incarnation du pouvoir dans un collège fermé, inamovible, sommet d'un appareil *administratif* distinct des *administrés* — à ce niveau-là, on en restait en fait aux *ministres*, on s'emparait de la forme déjà créée par les rois d'Europe occidentale depuis la fin du Moyen-Âge [43] ».

Pourtant la question du rapport entre socialisme et démocratie avait été posée à la toute fin du XIXe siècle et rejetée à ce moment-là par le Parti social-démocrate allemand à son congrès de Hanovre en octobre 1899, à l'instigation de Karl Kautsky en particulier. La thèse d'Edouard Bernstein, développée et publiée en 1909 en anglais sous le titre *Evolutionary Socialism* [44], est intéressante à plus d'un égard dans la mesure où elle lie l'implantation d'une démocratie sociale ou socialiste à un rejet de la pertinence du marxisme dans le contexte de la « communauté moderne ».

Cette thèse est intéressante surtout en ce que, en invalidant l'approche marxiste, elle ignore également la critique de Hegel pour reprendre par-dessus ces deux auteurs, en ligne directe en quelque sorte, le flambeau de la démarche jacobine. Ici, c'est de nouveau l'État qui est planté au coeur de l'analyse, un État responsable de sa classe ouvrière, une classe ouvrière qui aurait progressivement atteint au statut de citoyen dans l'État, avec des droits — droit à l'expression de la dissidence, droit d'assemblée et droit de grève — droits qui lui imposent des obligations et, en particulier, l'obligation fondamentale de maintenir et de sauvegarder cet État et sa démocratie de collaboration.

Bien sûr, ce qui se trouve évacué par la même occasion, c'est une théorie de l'irréductibilité de la lutte des classes, au profit d'une stratégie de l'accommodement des intérêts divergents dans l'État. Cette démarche s'oppose absolument à la revendication d'un État prolétarien pur où la classe ouvrière seule exerce le pouvoir sur elle-même en définitive, démarche propre aussi bien à Lénine, à Trotsky qu'à Staline lui-même.

Aux niveaux théorique puis politique en particulier, les deux approches sont antithétiques. Il s'agit d'un côté de changer l'État bourgeois tandis que de l'autre il faut le remplacer par un État prolétarien. Néanmoins, au-delà de ces divergences ou de ces irréductibilités, c'est toujours d'un État qu'il s'agit et, ici encore, au-delà des questions de sémantique et de stratégie politique, la validité des analyses menées et les critiques adressées par Marx demeurent à toutes fins pratiques marginalisées au profit d'une stratégie de prise du pouvoir d'État. Bref, on n'attaque pas l'institution de l'État, on la contourne, de sorte que, soixante-cinq ans après la Révolution russe, l'État nous nargue toujours et que sa puissance croît au lieu de décroître.

Même « l'alternative » envisagée par certains marxistes désillusionnés et persécutés des régimes totalitaires de l'Europe de l'Est ne prend pas en compte toutes les dimensions sociales effectivement subversives susceptibles de conduire à l'effritement puis à la mise au rancart pure et simple de l'État.

En effet, Rudolf Bahro en particulier [45] ne parvient pas à théoriser les contradictions qu'inscrit l'État dans la société civile, le rôle de l'entreprise et de la famille conjugale en tout premier lieu. Au mieux, les revendications féministes apparaissent comme de nouveaux enjeux, comme de nouvelles contradictions ; elles n'ont même pas le statut théorique et politique d'assises contre lesquelles — parmi d'autres — s'édifie la logique de l'État.

Néanmoins, mis bout à bout, Poulantzas et Bahro prennent en compte des facteurs de division sociale parmi lesquels la division du travail et, spécifiquement, la division entre travail manuel et travail intellectuel ; ils prennent également en compte les rapports entre hommes et femmes, relèvent l'isolement de la jeunesse mais, ni l'un ni l'autre ne touchent à la criminalité, voire même à la déviance et si l'écologie est mentionnée, elle ne l'est qu'en passant, étant établi, selon les canons marxistes officiels, que les forces productives doivent à *tout prix* atteindre à une certaine maturité avant même que l'on puisse se tourner vers l'implantation de la démocratie.

Que dire alors de la logique ou de la nécessité de l'industrialisation elle-même ? Que dire de l'armée et de la militarisation, de la répression et de la guerre ? Sur quelle théorie de la société s'appuie-t-on si on laisse ainsi de côté les drames les plus immédiats et les plus concrets qui affectent nos sociétés actuelles ?

Sommes-nous en face de lacunes théoriques ou de démarches qui, en voulant sauver quelques aspects du dogme dominant, perdent toute possibilité d'emprise sociale effective ?

Pour répondre à ces deux questions nous allons tâcher d'explorer plus avant le sens et la portée de la notion d'État.

L'État et le droit

Cela étant, pourquoi poursuivre notre étude de la démocratie avec des questions relatives à l'État et au droit ?

Pour des raisons historiques d'abord : la revendication démocratique émerge avec la consolidation de l'État-nation moderne. À son tour, cette émergence opère de deux manières fort différentes : ou bien en effet la démocratisation se pose en réaction contre la concentration des pouvoirs entre les mains soit de l'État soit d'un organe de l'État ; ou bien, par ailleurs, la sauvegarde d'institutions ou de coutumes démocratiques passe par une protection étatique quelconque.

Pour des motifs théoriques ensuite, en ce sens que la démocratie est étroitement articulée soit au pouvoir de l'individu souverain, soit au pouvoir du peuple souverain dans l'État. L'idée de souveraineté populaire, introduite en particulier par Jean-Jacques Rousseau au XVIIIᵉ siècle est capitale pour saisir le lien à partir duquel se pose la question de la démocratie. Mais ce n'est pas tout. Sans responsabilité, sans représentation, il n'est pas de démocratie non plus. Il nous reste donc à démêler cet écheveau de concepts, cette délicate articulation entre un individu, un peuple et les pouvoirs qui s'exercent sur eux dans un contexte social afin de comprendre le sens et la portée d'un processus comme celui de la démocratisation.

Or, toutes ces questions nous renvoient immanquablement à l'État et au droit qui régit le partage du pouvoir et l'exercice des pouvoirs dans l'État. C'est pourquoi, avant de pousser plus avant l'étude des problèmes liés à la démocratie en tant que tels, il apparaissait nécessaire de nous tourner du côté de l'État et du droit dans la mesure où ce genre d'exploration est susceptible de s'avérer indispensable pour les développements qui suivront. Ce sera l'objet des deux chapitres qui suivent.

Notes :

1 *Cf. La Guerre du Péloponnèse*, par Thucydide, *in* Hérodote-Thucydide, *Oeuvres complètes*, Gallimard, 1964, pp. 811-812.

2 Ce fait est si bien admis que Platon se serait livré à une raillerie de cette Oraison dans un de ses dialogues, *Ménéxène*.

C'est, en passant, sur cette dimension antidémocratique de l'oeuvre de Platon que Karl Popper échafaude sa critique des « ennemis de la société ouverte », approche qui lui a valu les polémiques que l'on sait.

3 Selon Chs. Douglas Lummis, « The Radicalism of Democracy » *in Democracy*, automne 1982, vol. 2, n° 4, pp. 9-16.

4 *Cf.* son « Introduction » à l'édition *De la démocratie en Amérique*, publiée dans les *Oeuvres complètes* d'A. de Tocqueville chez Gallimard, 1961, pp. XXIX-XXX.

5 *Cf. Federalist* les contributions de Madison portant respectivement les numéros 10 et 52, Mentor Books, 1961. Il faudrait nuancer davantage ici ; de Tocqueville a su faire état de ses craintes face à la démocratie également comme en témoigne la citation suivante, pour peu qu'on cherche à lui trouver une quelconque signification : « Il y a certaines lois dont la nature est démocratique et qui réussissent cependant à corriger en partie ces instincts dangereux de la démocratie », *op. cit.*, tome 1, p. 207.

6 *Cf. La Politique*, livre IV, chap. 4.

7 *Cf. Federalist, op. cit.*, n° 39, par Madison.

8 W. Godwin, *Enquiry Concerning Political Justice*, (1793) Penguin Books, 1976, pp. 486 *sq.*

9 *In Oeuvres complètes*, Gallimard, tome 3, p. 404.

10 *Cf.* « Idée sur le mode de la sanction des lois », in *Oeuvres complètes*, tome XI, Éditions Tête de feuille, 1973, pp. 81-92. Dans cette courte intervention, de Sade n'utilise pas le terme de démocratie, il oppose plutôt l'aristocratie à la république, de sorte que le sens qu'il donne à ce terme est plus proche de la notion de démocratie que de la notion de république telle que l'utilisent les exégètes de la Constitution américaine, Hamilton, Madison et Jay dont il a été question ci-dessus.

11 *Cf. Essai sur les libertés* (1965), Le Livre de Poche, 1977, p. 21.

12 *Cf.* Gaël Faim, « Avertissement liminaire » *in Capitalisme, socialisme et démocratie* (1942), Paris, Petite bibliothèque Payot, 1963.

13 *Idem*, pp. 217 *sq.*

14 *Idem*, p. 285. Plus loin, l'auteur ajoute : « Le socialisme pourrait être le seul moyen de restaurer la discipline du travail » (p. 296).

15 *Idem*, p. 330.

16 *Cf.* son *Sociologie de l'action*, Paris, Seuil, 1965, p. 143.

17 *Idem*, pp. 328-329.

18 *Idem*, p. 314.

19 Comme ce fut le cas au Canada à la suite du dépôt du Rapport de la Commission Royale d'enquête sur les Relations entre le Travail et le Capital en 1889. On se souviendra que le Rapport faisait état de pratiques de châtiments corporels appliqués par certains

patrons à l'endroit de leurs ouvrières dans les manufactures de cigares de Montréal, en particulier.

[20] Pour user d'un euphémisme qui a désormais droit de cité chez les économistes.

[21] *Cf.* « Présentation : Hegel et Marx : l'interminable débat » par Kostas Papaioannou, *in* K. Marx, *Critique de l'État hégélien. Manuscrit de 1843*, G.E., Col. « 10-18 », 1976, p. 43.

[22] *Idem*, p. 44.

[23] *Cf. Hegel et l'État*, 4e édition, Vrin, 1974, p. 22.

[24] *Idem*, p. 25.

[25] *Idem*, pp. 26-27.

[26] *Idem*, p. 29.

[27] *Idem*, p. 38.

[28] *Idem*, p. 59.

[29] *Idem*, p. 62.

[30] *Idem*, p. 65.

[31] *Idem*, p. 68.

[32] Eric Weil dit ceci mieux : « La théorie hégélienne de l'État est correcte parce qu'elle analyse correctement l'État réel de son époque et de la nôtre », *op. cit.*, p. 27. Dans le chapitre suivant, « Le caractère de l'État moderne », Weil montre comment Hegel théorise la nécessité de l'intervention de l'État dans l'économie d'une part, et comment d'autre part, l'État bourgeois bute sur l'impossibilité de satisfaire la consommation de la masse, comment, en d'autres mots, il doit affronter l'inéluctable processus de la sous-consommation.

[33] *Op. cit.*, p. 114.

[34] Rédigé en 1938, l'ouvrage de Lukacs ne paraîtra pas avant 1947-48, tandis que la première édition de *Hegel et l'État* date de 1950. En fait, les deux auteurs ne se mentionnent pas, d'où l'on peut vraisemblablement conclure qu'ils n'étaient pas au courant des travaux qu'ils menaient chacun de leur côté.

[35] G. Lukacs, *The Young Hegel. Studies in the Relations between Dialectics and Economics*, Londres, Merlin Press, 1975, p. XV.

[36] *Idem*, p. 29. (Les traductions qui suivent sont faites par nous à partir de ce texte, D.B.).

[37] *Idem*, p. 36.

[38] *Idem*, p. 36.

39 *Idem*, p. 38.

40 *Idem*, p. 76.

41 *Idem*, p. 99.

42 *Cf. L'Institution imaginaire de la société*, Seuil, 1975, pp. 168-169.

43 *Idem*.

44 L'édition allemande avait paru en 1906.

45 *Cf. L'Alternative*.

État et pensée dogmatique

L'État n'est pas qu'un gouvernement, tout gouvernement ne fonde pas un État. Qu'est-ce qui constitue l'État ? Quelle est la spécificité de l'institution étatique ? Ce sont les questions auxquelles nous tâcherons de répondre.

Une municipalité, un canton, une commission scolaire, voire une province, sont des gouvernements ; pourtant, en dehors de cas limites, — Paris sous la Commune, par exemple, la Province de Québec par certains de ses aspects — l'on ne s'aviserait pas d'assimiler ces pouvoirs publics à des États. D'ailleurs, il est possible d'aller plus loin et de ne pas considérer le Canada comme étant un État, pour autant que l'on réserve l'appellation à une entité autonome et souveraine ; or, le Canada, dont le chef d'État est une reine britannique, sous cet aspect, échapperait à la définition stricte de l'État. Il en va bien sûr de même pour les entités appelées « États » aux États-Unis.

Mais, avant d'aller plus loin, est-il bien nécessaire après tant d'analyses consacrées à cette question de se pencher sur ce genre de problème apparemment sans solution définitive ?

Dans la mesure où la démarche proposée ici peut s'avérer intéressante pour établir notre critique du pouvoir et du droit, et surtout pour saisir l'antinomie entre État et démocratie, cet exercice est indispensable.

L'utilité de la distinction

Il s'agira de distinguer entre l'État entendu comme un concept juridique qui valide la société civile et qui légitime tout un ensemble de séparations fondamentales entre les individus qui composent cette société, et l'État comme ensemble d'appareils de production et de distribution de biens et de services. Sous ce dernier aspect, l'extension des fonctions juridiques, économiques ou politiques des États contemporains ne font pas « dépérir » l'État, elles consolident au contraire l'institution en faisant assumer par tous et chacun des appareils ces fameuses séparations propres à tout État capitaliste ou à tout État socialiste actuel. C'est ainsi que l'on peut comprendre que si une nationalisation ou une étatisation d'une entreprise auparavant détenue privément substitue des nationaux ou des fonctionnaires d'État aux anciens propriétaires, cela ne change pas la nature des rapports de pouvoirs au sein de l'entreprise, non plus que les contraintes économiques imposées ni les discriminations de tout ordre qui peuvent subsister dans cette société à ce moment-là.

La distinction entre l'État entendu comme concept de droit et l'institutionnalisation du pouvoir politique, son exercice ou ses modalités d'exercice dans des appareils divers, diversifiés, avec une répartition spécifique entre ces pouvoirs, tout cela n'est pas nouveau, loin de là. Cette distinction a été explorée par Hegel en particulier.

Nous la reprendrons dès le départ parce qu'elle s'avérera très utile pour la suite de nos développements même si, à la limite, la manipulation d'un concept d'État détaché des contingences et de l'histoire peut n'apparaître que comme un exercice de style. Or, ce n'est pas le cas puisque le recours à l'État dans toute son abstraction, l'appel à l'État, l'invocation de l'État est au contraire une constante dans la théorie, la polémique ou la politique et c'est précisément à ce niveau très abstrait que se situent en général celui, celle ou ceux qui manipulent de tels raisonnements, qu'ils soient conservateurs, libéraux ou marxistes d'ailleurs.

Il n'est que d'ouvrir n'importe quel pamphlet politique, de lire n'importe quel éditorial, de suivre n'importe quel raisonnement, l'on butera immanquablement sur des expressions qui sont de véritables incantations à l'État, un État immatériel et abstrait, un *deus ex machina*.

Ces invocations sont d'ores et déjà lourdes de signification, elles constituent un renversement caractéristique où des intérêts particuliers s'objectivisent et apparaissent plutôt comme l'intérêt général, l'intérêt de tous. En invoquant ainsi l'État c'est à une manière de laïcisation de l'appel à la Providence que l'on assiste souvent. Mais que cela soit ainsi, ce n'est ni un hasard, ni une méconception puisque l'État c'est aussi cela, c'est aussi le concept qui anime des idées et qui fonde des politiques ; en ce sens nous devons en tenir compte.

C'est donc afin de jeter quelque lumière sur la nature des relations en cause que nous allons étudier l'État sous ces deux angles.

Cette question est d'autant plus difficile et complexe d'ailleurs que, en stricte logique, l'État devrait plutôt constituer l'aboutissement de nos recherches. En effet, dans la mesure même où l'État se veut extérieur à la société civile, au-dessus des classes et des citoyens c'est, en stricte logique, de celles-ci ou de ceux-ci que nous devrions partir.

Marx l'avait bien sûr saisi qui a écrit :

> La *superstition politique* est seule à se figurer de nos jours que la cohésion de la vie civile est le fait de l'État, alors que, en réalité, c'est au contraire la cohésion de l'État qui est maintenue du fait de la vie civile [1].

C'est pourquoi un marxiste comme Pasukanis, dans sa mise au point méthodologique en matière d'analyse du droit, propose que, s'il faut partir du simple pour cheminer vers le complexe, des « totalités concrètes » comme « la société, la population, l'État (doivent) être le résultat et l'étape finale de nos réflexions mais non pas leur point de départ [2] ».

Mais il s'agit plutôt ici d'une difficulté et non pas d'une impossibilité théorique puisqu'à partir de définitions juridiques de base — à partir des notions de droit objectif et de droit subjectif en particulier — Pasukanis nous convie à un cheminement passablement ardu pour saisir l'État et le droit, de sorte que, une fois cette mise en garde établie au sujet de la difficulté d'appréhender ou de saisir certains concepts, il peut au contraire s'avérer intéressant de décortiquer de telles notions pour saisir des formes d'opposition de classes au lieu de partir de celles-ci pour comprendre les institutions juridiques d'une société capitaliste avancée. Si une certaine littérature marxiste récente d'inspiration gramscienne est incontestablement la source la plus riche pour qui veut étudier l'État capitaliste, il n'en demeure pas moins que les approches privilégiées par des marxistes après Engels, et en particulier la marxologie officielle en U.R.S.S., font valoir une appréhension essentiellement instrumentaliste à l'étude de l'État, ce qui n'a pas peu contribué à appauvrir sérieusement l'analyse. Nous entendons grouper sous ce terme les diverses variantes d'une approche qui appréhende l'État comme une chose, un objet ou un instrument au service d'une classe et qui prennent leur source dans les célèbres développements consacrés par Engels à l'État dans son ouvrage, *L'Origine de la famille, de la propriété privée et de l'État*, et qui s'inspirent en particulier du paragraphe suivant :

> L'État n'est (donc) pas un pouvoir imposé du dehors à la société ; « l'image et la réalité de la raison », comme le prétend Hegel. Il est bien plutôt un produit de la société à un stade déterminé de son développement ; il est l'aveu que cette société s'empêtre dans une insoluble contradiction avec elle-même, s'étant scindée en oppositions inconciliables qu'elle est impuissante à conjurer. Mais pour que les antagonistes, les classes aux intérêts économiques opposés, ne se consument pas, elles et la société, en une lutte stérile, le besoin s'impose d'un pouvoir qui, placé en apparence au-dessus de la société,

doit estomper le conflit, le maintenir dans les limites de l'ordre ; et ce pouvoir, né de la société, mais qui se place au-dessus d'elle et lui devient de plus en plus étranger, c'est l'État[3].

Dans cet extrait, Engels cite deux fragments de la définition donnée par Hegel aux paragraphes 257 et 258 des *Principes de la philosophie du droit* dont les textes se lisent comme suit :

> *Paragraphe 257*
> L'État est la réalité en acte de l'idée morale objective — l'esprit moral comme volonté substantielle révélée, claire à soi-même, qui se connaît et se pense et accomplit ce qu'elle sait et parce qu'elle sait...
> *Paragraphe 258*
> L'État, comme réalité en acte de la volonté substantielle, réalité qu'elle reçoit dans la conscience particulière de soi universalisée, est le rationnel en soi et pour soi[4]...

Engels conteste la validité de cette définition qui établit comme « réalité » ce qu'il appelle une « apparence » et il la conteste en déplaçant l'angle d'analyse pour énoncer que l'État est un « produit de la société », ce que Hegel ne lui contesterait pas, en passant, et ce qui est, *stricto sensu,* difficilement contestable par ailleurs dans la mesure où tout concept, toute réalité est bien le « produit de la société », et c'est là parfois la caractéristique principale que l'on retient de sa définition. Or, ce n'est pas là l'essentiel puisque, cet élément étant établi, il revient ensuite à l'essentiel : « l'État comme pouvoir né de la société, qui est en apparence au-dessus de la société et lui devient de plus en plus étranger ».

Parce que c'est bien la notion de pouvoir qui est centrale pour appréhender la réalité de l'État, un pouvoir de la société, c'est-à-dire un pouvoir investi dans la société, issu d'elle, et qui se retourne sur elle : l'État ne régit pas la société du dehors et ce qui apparaît métasocial ou au-delà de la société dans l'État n'est tout au plus que le résultat d'une apparence. Par ailleurs, et cet élément est, lui aussi, important, le pouvoir d'État tend à s'abstraire progressivement de la société, à lui devenir de plus en plus étranger, essentiellement, nous le verrons un peu plus loin, parce que certaines des séparations que l'État impose nous apparaissent comme naturelles ou nécessaires.

En d'autres termes, l'État est bel et bien un pouvoir, un pouvoir légitime, mais ce pouvoir, pris en main par certains groupes ou certaines factions tend à se détacher du reste de la société, à se détacher d'autres groupes ou fractions de classes et à s'imposer à la société du dehors en quelque sorte, précisément parce que les divisions que l'État imposent sont assumées par l'ensemble de cette société comme une contrainte naturelle, nécessaire, comme c'est le cas pour la séparation légale entre l'individu et le citoyen, ou la séparation juridique entre les hommes et les femmes, entre les adultes et les enfants, etc.

Hegel pour sa part tentait de cerner cet « ailleurs » et au lieu de le situer au-dessus de la société, dans le monde des apparences, l'investissait d'une « matérialité » propre, à savoir celle de « l'idée morale objective », c'est-à-dire encore celle d'une « rationalité » détachée des contingences historiques. C'est d'ailleurs sur ce point précis que Marx fera porter sa critique de Hegel en montrant comment celui-ci fait de l'abstraction, de « l'Idée », le « sujet réel ». Marx contestait donc l'approche de Hegel parce qu'elle ne rendait pas compte de la réalité de l'État, et il contestait en même temps que ce que Hegel prenait pour le *réel* le fût vraiment[5]. En d'autres mots et pour être plus concret, de ce que l'État est une institution particulière ne signifie ni que cette institution soit une « réalité en acte », ni qu'elle n'ait qu'un pur statut propre aux fictions juridiques. Si l'État existe en tant que fiction juridique et, plus concrètement encore, en tant qu'institution politique cette existence n'en est moins effective et contraignante pour autant puisque c'est précisément un ensemble de pratiques sociales qui animent cette institution et valident cette apparente autonomie par rapport à un ensemble de rapports sociaux civils en particulier.

Il se pose ainsi, à l'occasion de l'analyse de l'État, deux ordres de problèmes, celui de la signification du concept d'État et qui renvoie à l'univers de l'idéologie et des normes juridiques, et celui de la croissance et du développement des appareils d'État en tant que tels et qui renvoie plutôt à l'univers de la croissance capitaliste, pour ce qui concerne l'État libéral notamment, tout comme l'État socialiste renvoie à un ensemble de normes juridiques ainsi qu'à des rapports d'accumulation socialistes.

Cette distinction entre l'Idée ou le concept d'État et les formes d'extension des appareils d'État, même si elle est difficile à repérer dans l'analyse historique et sociologique est théoriquement fort utile pour qui veut saisir les causes de la survivance de certaines relations sociales fondamentales malgré toutes les extensions possibles et imaginables apportées aux modalités de l'intervention de l'État dans l'économie et la société contemporaines.

L'État, à un certain niveau d'abstraction n'est qu'un concept, une abstraction juridique tandis qu'à un autre niveau il apparaît comme processus de structuration de rapports sociaux : la séparation du travailleur et du citoyen se trouve dans ce « processus d'hypostase réel [6] » à la fois son sens, sa finalité et son maintien. Dans le langage courant malheureusement la notion d'État désigne indistinctement la personnalité morale de la nation et le réseau des institutions qui supporte l'État-nation. On se trouve ainsi à masquer, derrière la fiction d'un État immatériel propre à l'idéologie libérale, deux processus concrets et distincts : le premier de ces processus est inscrit dans l'établissement de tout un réseau d'appareils étatiques comme l'armée, la police, les tribunaux, les ministères, les agences de régulation du marché, etc., supporté par un « corps social » spécifique, la bourgeoisie d'État et sa bureaucratie ; l'autre vise le maintien d'un ensemble de séparations juridiques entre l'individu, le citoyen, l'homme et la femme, l'adulte et l'enfant, le civil et le criminel, etc.

Toute la difficulté, à l'occasion de l'analyse théorique de la notion d'État ou même de l'analyse empirique d'un État historique particulier, consiste à éviter de centrer exclusivement l'analyse sur les seuls appareils de l'État, à éviter de ne faire de l'État qu'un simple ensemble d'instruments bureaucratiques ou politiques mais de bien préciser son double statut qui est d'être à la fois un cadre moral, une « personne morale » et un ensemble d'appareils, qui est d'être à la fois institution juridique et processus de structuration de rapports sociaux, d'institutionnaliser des discriminations précises dans la société civile et d'étendre le réseau de rapports sociaux de production engagés sous l'égide d'une propriété d'État, par ailleurs. À cet égard, une analogie avec l'entreprise ou la compagnie peut être utile puisque celle-ci n'est également, à un certain niveau d'abstraction, qu'une institution économique, qu'une unité comptable ; ce n'est que dans le processus de son fonctionnement social en tant qu'entreprise de production de biens ou de services spécifiques que cette institution s'anime d'une existence sociale, qu'elle devient processus de production, existence sociale qui n'est pas la matérialisation de cette fiction — comme le prétendait Hegel — alors que c'est, au contraire, la poursuite d'un certain processus de production qui valide et consacre cette institution économique qu'est l'entreprise ou la compagnie.

L'État n'est ainsi au-dessus ou à l'extérieur de la société qu'à un certain niveau d'abstraction, au niveau moral ou éthique si l'on veut — bien que cette morale-là soit immédiatement juridique — tandis qu'à l'autre niveau, l'État fonctionne comme ensemble d'appareils de production, de reproduction ou de circulation notamment. Si nous reprenons l'image de Engels, il importe donc à un double titre que l'État apparaisse « extérieur à » la société civile : *premièrement*, ce statut légitime une idéologie dominante dans son appréhension morale et juridique de la fonction objective de l'État ; *deuxièmement*, ce statut fonde la capacité d'un individu, d'un groupe ou d'une faction d'exercer un pouvoir politique d'État. L'on assiste ainsi à la séparation entre deux réseaux théoriques et pratiques au sein de l'État, l'un opérant sur le plan plus proprement « scientifique » et idéologique où il vise la théorisation et la légitimation de l'ordre social et du pouvoir de classe, tandis que l'autre réseau opère sur un plan plus spécifiquement normatif et bureaucratique où certains appareils sont investis du pouvoir de régenter un ensemble de rapports ou d'enjeux sociaux dans la société civile.

Au premier réseau appartiennent les discours et les théories validées ou imposées par des intellectuels, des scientifiques et des politiques, tandis qu'autour du second réseau gravitent les appareils plus spécifiquement engagés dans la répression, la production, la reproduction et la circulation des droits et des privilèges voire même la production de services et de marchandises pour ce qui touche aux secteurs étatisés ou nationalisés de la production.

Même s'il ignore complètement le premier niveau, c'est vraisemblablement à Louis Althusser que l'on doit la formulation la plus poussée d'une analyse qui tente de saisir à la fois la spécificité de l'État et les conditions de la production et de la reproduction au sein de ce qu'il a appelé — à la suite de Lénine — ces fameux « appareils d'État [7] », notion sur laquelle nous allons nous arrêter maintenant.

Cette notion est centrale pour qui veut saisir la spécificité de l'État capitaliste — voire de l'État socialiste — d'une part, se démarquer des approches qui concentrent toute l'analyse de l'État sur cet « instrument » d'autre part et qui, de ce fait, confondent les deux dimensions relevées ci-dessus dans un nouvel ordre de réalité à la fois distinct des individus et de leurs pratiques, qu'elles soient idéologiques ou politiques. C'est d'ailleurs pourquoi ces approches débouchent si souvent sur des constats qui conduisent à poser l'inévitabilité de l'État, son indestructibilité, sa pérennité, etc., et qui, dans ces conditions jugent plus qu'elles n'analysent les effets sociaux concrets du maintien d'une institution comme l'État.

Néanmoins, ajoutons que nous ne suivons pas Althusser dans le sens qu'il entend donner à la distinction entre l'État et l'appareil d'État où l'État « (n'a) de sens qu'en fonction du pouvoir d'État » :

> Toute la lutte des classes politiques tourne autour de l'État. Entendons : autour de la détention, c'est-à-dire de la prise et de la conservation du pouvoir d'État par une certaine classe, ou par une alliance de classes ou de fractions de classe. Cette première précision nous oblige donc à distinguer le pouvoir d'État (conservation du pouvoir d'État ou prise de pouvoir d'État), objectif de la lutte de classes politique d'une part, de l'appareil d'État d'autre part [8].

Cet isolement de la « lutte des classes politique » orientée sur le pouvoir d'État par rapport à la lutte économique en particulier, qui ne porte plus que sur l'entreprise et la rémunération du travail, légitime précisément cette coupure instaurée, maintenue et validée par l'État entre intérêts publics et intérêts privés dans la société civile. Elle a de surcroît le désavantage de consacrer une division dans la contestation politique entre le syndicat et le parti notamment, qui peut s'avérer funeste pour le cas où, par exemple, la stratégie politique face au pouvoir d'État elle-même prendrait le pas sur les autres formes de pratiques sociales ou politiques des classes dominées.

La distinction établie plus avant dans la citation et qui consiste à séparer l'État en tant « qu'objectif de la lutte de classes politique » de « l'appareil d'État » comme tel est non moins délicate dans la mesure où elle sépare sur le plan politique ce qui est inextricablement imbriqué aussi bien au niveau économique, que juridique dans la société capitaliste, voire dans la société socialiste. Cette distinction pose en effet qu'il y aurait non seulement un enjeu politique propre aux appareils, distinct du rapport politique au sein de l'État mais elle conduit également à maintenir la séparation entre la société civile et l'État avec toutes les discriminations déjà indiquées ci-dessus.

Mais ce que cet extrait établit par contre, c'est bien la réalité d'une séparation entre l'institution du pouvoir politique et l'ensemble des appareils qui articulent la légitimité de ce pouvoir. Il établit en d'autres mots la distinction entre le pouvoir politique dans son sens le plus général c'est-à-dire tel qu'il s'exerce sur des travailleurs — et ajouterions-nous, sur les femmes, les enfants et les déviants, rapports de pouvoirs qui sont aussi « politiques » que les premiers — et tout le réseau des appareils de pouvoir indispensable au maintien de cette légitimité, qu'il s'agisse de l'armée, de l'hôpital ou de l'école.

Faute d'aller jusque-là, c'est-à-dire faute de démarquer clairement pouvoir politique et pouvoir d'État, Althusser laisse en plan aussi bien le pouvoir répressif exercé par l'employeur sur ses ouvriers dans le cadre de l'entreprise que le pouvoir répressif exercé par l'homme sur la femme et les enfants dans le cadre de la famille conjugale. Mais il laisse aussi de côté le rôle de l'État dans la légitimation de ces privilèges-là.

La critique que lui adresse Nicos Poulantzas ne porte en définitive que sur une question secondaire à savoir la légitimité de la distinction qu'Althusser opère maintenant entre les appareils d'État où il distingue entre les appareils idéologiques et les appareils répressifs d'État [9]. À ce niveau, il a raison, cette distinction n'est nullement théorique, elle est heuristique ; elle n'épuise pas la spécificité de l'État ; tout au plus est-elle commune à l'État capitaliste et à l'État socialiste. Il écrit d'ailleurs, « cette distinction ne peut être retenue qu'à titre purement descriptif et indicatif » ce qui est vrai, mais une description et une indication de quoi ? Il ne le dit pas alors que cette séparation somme toute formelle peut servir à étudier le concept d'État et à mettre au jour ces séparations sociales fondamentales sans lesquelles l'État n'a plus sa raison d'être. Escamotant cet aspect de la question, Poulantzas ne voit plus dans l'État que le prolongement d'une division sociale du travail, d'un rapport entre deux classes sociales antagoniques ; il n'entrevoit même plus le rapport entre l'entreprise et la famille, ces deux mamelles de l'État.

La notion d'État nous oblige ainsi à mener une double interrogation : l'une portant plus spécifiquement sur une forme d'institutionnalisation du pouvoir politique, l'autre sur les classes ou, pour reprendre la dichotomie utilisée ci-dessus, l'une renvoyant à la « personnalité morale » ou à l'institution de l'État et à son « apparente » distance par rapport à la société civile et qui nous force à étudier les contradictions qui agitent cette société, tandis que l'autre renvoie à l'extension des appareils et au quadrillage social enclenché par l'État dans la foulée de la croissance capitaliste ou de la croissance socialiste.

Critique de l'approche marxiste-léniniste

L'étude d'un cas en particulier pourrait nous aider à cerner ce dont il est question tout en nous permettant de relever les limites propres à une approche instrumentaliste à l'étude de l'État. Et qui mieux qu'un auteur marxiste dogmatique peut servir nos fins dans les circonstances ? C'est pourquoi nous consacrerons la présente section à décortiquer l'approche de Radomir Lukic à l'étude de l'État [10].

L'avantage de l'approche de Lukic c'est qu'au point de départ il lie État et droit, ce qui constitue un indéniable avantage sur tous ses concurrents qui séparent inutilement ces deux ordres de réalité [11].

Sur ce point précis, il faut ouvrir une parenthèse. Il semble y avoir eu, théoriquement et historiquement chez la plupart des auteurs, jonction entre État et droit, de sorte que ce n'est que tout récemment que l'on a assisté à une séparation entre ces deux dimensions d'une seule et même réalité politique et c'est chez les auteurs marxistes occidentaux que cette séparation est la plus poussée. Ni Suzanne de Brunhoff dans *État et capital*, ni les auteurs du collectif, *Le Capitalisme monopolistique d'État*, ni non plus Poulantzas dans son célèbre ouvrage, *Pouvoir politique et classes sociales* [12] ne traitent du droit.

D'ailleurs, non seulement leurs analyses de l'État n'ouvrent pas sur la prise en compte du droit, mais, ce qui est beaucoup plus grave, elles ignorent à toutes fins pratiques tout autant la théorie que la pratique du socialisme d'État en U.R.S.S. Pudeur ou caution ? On ne le saura vraisemblablement pas, mais c'est prendre une mesure de cet apparent assouplissement théorique et de la validité des critiques effectuées par des marxistes occidentaux qui ne peuvent même pas repérer les prolongements historiques concrets de l'application du matérialisme dialectique dans certains pays. C'est comme s'il y avait, en définitive, une profonde rupture entre deux interprétations fondamentalement divergentes de Marx et d'Engels et c'est ce que l'on voudrait nous faire croire. Or, cette rupture est plus apparente que réelle car, dans la mesure même où ces auteurs ignorent la version « soviétique » de la dogmatique marxiste, leur silence ne fait qu'avaliser tout bonnement l'extension et l'intensification d'un socialisme totalitaire aux dépens de l'émergence d'une socialisation démocratique. Parce que la théorie marxiste du droit existe et se développe au-delà du « rideau de fer » : que ce soit chez L.S. Jawitsch ou chez V.M. Chkhikvadze, N.P. Farberov, A.P. Kositsyn, M.A. Krutogolov, B.S. Krylov, V.A. Tumanov et S.L. Zivs [13], cette dogmatique puise à même les classiques du marxisme pour instaurer une véritable science de la répression d'État. L'Institut de l'État et du Droit de l'Académie des Sciences de l'U.R.S.S. est une pépinière d'intellectuels organiques qui met au point les dogmes qui légitiment l'implantation des normes propres à la consolidation de l'État totalitaire. Ici, le discours scientifique n'est qu'une logomachie qui n'a même plus besoin de se confronter à la société ; il fonctionne en complète autonomie par rapport aux modalités sociales concrètes d'existence des individus et des classes de telle sorte que des énoncés faux peuvent être donnés comme des vérités axiomatiques dont voici quelques exemples : « Il n'y a pas eu dans l'ensemble, de limitations imposées aux droits électoraux selon l'origine sociale sous la forme démocratique populaire de dictature du prolétariat. » « Nous trouvons que le contrôle populaire sur (les opérations économiques) est vraiment massif. » Ou encore : « Les formes et les méthodes de l'intervention de l'État en U.R.S.S. (constituent) un système de démocratie socialiste [14]. » L.S. Jawitsch quant à lui écrit :

> Le noyau de la méthodologie de la théorie générale marxiste-léniniste du droit et de l'ensemble de la science socialiste du droit est le matérialisme dialectique... et si la science socialiste du droit a réussi en principe à surmonter le dogmatisme et le formalisme des constructions juridiques, c'est surtout grâce au matérialisme dialectique qui lui a enseigné la flexibilité de la pensée... Ceci étant, la théorie générale marxiste-léniniste du droit a pour mission de faire émerger toutes les possibilités progressives et démocratiques d'une formalisation légale des relations sociales [15].

La dogmatique religieuse n'a pas fait mieux ! Néanmoins, la finalité dernière de tout ce fatras nous sera quand même fournie par Jawitsch dans une section de son ouvrage intitulée « La transgression de la loi en tant qu'acte illégal coupable ». Après avoir défini le crime « comme le résultat des failles d'une société où persistent l'inégalité sociale, l'injustice et les contradictions de classes... », il reprend maintenant le problème beaucoup plus général de la transgression dans ces termes :

> (...) la transgression est le résultat de l'arbitraire d'individus isolés qui s'exprime comme une action coupable, illégale, dangereuse ou nuisible dans un système social donné et, par-dessus tout s'exprimant contre les intérêts des classes au pouvoir (et, sous le socialisme, contre les intérêts du peuple) [16].

C'est une bien curieuse théorie qui sait théoriser le crime et qui ne parvient pas à saisir la simple transgression autrement que comme la confrontation entre un arbitraire individuel et les intérêts du peuple dans la « patrie » du socialisme. Cette théorie-là justifie ainsi que l'on soit en droit d'être plus sévère face à la transgression individuelle — surtout si elle est articulée par des intellectuels ou des ouvriers contestataires — que face à la criminalité pure et simple. Il y a dès lors beaucoup à dire et à explorer sur la théorie « soviétique » de l'État.

Néanmoins, nous fermerons ici cette parenthèse et reviendrons à Lukic que nous avons choisi d'étudier plus en détail précisément parce qu'il aborde de front certaines questions qui nous ont retenu et nous retiendrons tout particulièrement et, plus spécifiquement, le problème du développement des contradictions sociales non économiques dans la société actuelle, ce que les auteurs cités précédemment escamotent complètement.

Cependant, en prétendant que, « par État, il (faille) entendre seulement le système de normes auxquelles l'État apporte sa sanction coercitive [17] », Lukic assimile l'État à la norme de manière tout à fait inextricable. L'État n'est pas, et de loin, le seul lieu de l'exercice de la coercition dans la société et il n'est que de penser à l'entreprise ou à la famille conjugale pour se convaincre du contraire. Or, faire de l'État « l'organisation » ou le « monopole de la contrainte organisée et légitimée » comme l'écrit F. Perroux [18], c'est à la fois lui attribuer trop et trop peu : trop, dans la mesure où l'État n'est pas la seule « personne morale » qui organise la contrainte et trop peu, parce que l'État n'organise pas sa contrainte de la même manière et sur le même mode que les autres institutions dans la société.

Reprenant ensuite à sa façon la réflexion d'Engels sur le sujet, Lukic pose que « le problème du maintien de l'unité sociale malgré la lutte des classes ne peut pas être résolu » sans le recours au monopole de la contrainte et à sa « normalisation » par la loi [19]. Faisant ensuite appel à l'opuscule *L'État et la Révolution* de Lénine, Lukic se fonde sur cette irréductibilité de la lutte des classes pour comprendre l'État.

Il faut voir ici que Lukic ne prend en compte qu'une part de la réalité sociale et qu'il impute au marxisme une découverte qui constitue en fait une limitation et par rapport à ce qu'avait étudié Engels, et par rapport à Hegel même qui, le premier sans doute, avait analysé l'État comme un prolongement d'un ensemble de conflits irréductibles dans la société civile, et non comme la résultante nécessaire du seul conflit entre deux classes, entre capitalistes et prolétaires.

Ainsi, au paragraphe 258 de ses *Principes*, Hegel se pose la question de savoir d'où est « sorti » l'État :

> Maintenant l'origine historique de l'État ou plutôt de chaque État particulier, de son droit et de ses modalités : est-il sorti des relations patriarcales, de la crainte ou de la confiance, ou de la corporation, et comment a été conçu et affermi dans la confiance le fondement de tels droits, est-ce comme droit divin, positif, ou comme contrat, coutume, etc., ce sont des questions qui n'intéressent pas l'idée d'État en elle-même mais, eu égard à la connaissance philosophique, dont seule il est question ici, c'est un simple phénomène, une affaire historique [20]...

Mis à part ce rejet du questionnement historique lui-même dont il ne prétend pas s'occuper dans ses considérations philosophiques, il n'en reste pas moins que les questions autour de « l'origine » de l'État allaient trouver chez Engels matière à approfondissement et, entre autres choses, l'idée de lier l'État à la famille patriarcale allait s'avérer chez cet auteur particulièrement fructueuse.

Un certain dogmatisme théorique et historique, en braquant l'État sur la lutte des classes s'est trouvé à appauvrir considérablement non seulement la recherche sur les origines de la famille, de la propriété et de l'État, mais surtout à appauvrir la recherche sur les conditions du développement et de la croissance des États contemporains.

Le plus paradoxal ici c'est que Hegel avait cru devoir mettre en garde contre le type de réduction qui a été opéré par Lukic près d'un siècle et demi plus tard.

> La pensée, qui reconnaît l'État en le concevant comme quelque chose de rationnel pour soi, a encore un autre opposé : c'est de prendre ce qu'il y a d'extérieur dans le phénomène : la

contingence du besoin, la nécessité de protection, la force, la richesse, etc., non comme des moments de l'évolution historique, mais comme la substance de l'État [21].

En d'autres mots, protection, contrainte ou richesse sont des moments convergents ou concurrents de l'histoire de la consolidation des États, ils n'en constituent pas pour autant la « substance ». Et cette « substance » — nous aurons l'occasion d'y revenir plus avant — est d'abord et avant tout juridique, tout entière contenue dans cette « personnalité morale » de la nation qu'est l'État contemporain. Mais n'anticipons pas et continuons plutôt d'explorer les rationalisations de notre auteur.

Il appert que le « monopole de la contrainte » qui caractériserait l'État sert essentiellement à « imposer le mode de production nécessaire à une société donnée sur la base des lois correspondantes du développement social [22]. L'on fait appel ici à un jeu de mots sur la notion de loi : la Loi vient valider les lois de l'économie. L'État se trouve alors réduit à maintenir une seule contrainte, celle de la production parce que :

> Les conflits qui se manifestent dans ces processus sociaux — comme la religion, l'art ou la mode, etc. — n'exigent pas qu'il y ait un moyen de contrainte pour les résoudre et, en principe, l'État et le droit, en tant que moyens de ce genre, ne se mêlent pas de ces problèmes. Pourquoi ? Parce que la solution des conflits dans de tels processus sociaux n'est pas essentielle pour la société [23]...

Ce passage est révélateur en ce qu'il systématise une approche « économiste » ou, plus fondamentalement, « productiviste » à l'appréhension des rapports sociaux. Il est de surcroît quelque peu contradictoire car, pourquoi « faut-il que l'irréductible conflit de classes doive exister dans le processus de la production », alors que si la production fonctionne comme processus justement, c'est précisément dû au fait que le conflit en question le cède à une forme ou une autre de collaboration objective ? Ce serait précisément l'inverse qui serait vérifiable ; c'est-à-dire que c'est plutôt quand s'interrompt le processus de la production à la suite de la fermeture d'usines, d'un lock-out, d'une grève ou de sabotage que le conflit des classes émerge et peut devenir irréductible et que l'État intervient pour forcer la remise en marche de la production.

Par la suite, pourquoi opposer ce semblant de « conflit irréductible » qui n'en est précisément pas un à ce moment-là en tout cas, à toute autre forme de conflit social ?

En réalité, Lukic s'emberlificote dans une incohérence théorique et confond plusieurs niveaux d'analyse. Dans son esprit, si le processus de production détermine les autres processus sociaux, il s'ensuit que les conflits qui tiraillent ces « autres procès » ne sont pas « essentiels pour la société », ils ne sauraient être tout au plus que des « conflits dans l'interprétation que l'on peut se faire de ces autres processus sociaux ».

L'on a affaire ici à un fort bel exemple de réduction de toute la production sociale à la seule production de biens et de services destinés à un échange marchand quelconque. Le cercle que tisse l'auteur est passablement vicieux et vicié : le droit n'a pas à sanctionner au-delà de ce que théorise l'économie et si l'économie politique en particulier ne sait pas appréhender d'autres processus de production, l'État ou le droit n'y sont pas « en principe » contraints non plus. C'est là limiter l'univers des contraintes imposées par l'État et le droit au point de le rendre caricatural et suspendre l'analyse précisément là où elle risquait de devenir intéressante et pertinente, c'est-à-dire autour de ce fameux « en principe » : si, « en principe », ni l'État ni le droit n'ont à s'occuper des femmes, des enfants, des homosexuels et des criminels, comment se fait-il que, dans les faits, ces questions-là sont précisément celles qui retiennent législateurs et tribunaux ?

S'agit-il ici d'enjeux seconds, de contradictions dites « secondaires » ou, au contraire, ne s'agirait-il pas de questions fondamentales dans la mesure où, dans les pays prétendument socialistes notamment, c'est bien *en principe* que le processus de la production matérielle a été bouleversé tandis que, en pratique, l'État y subsiste avec son lot de répressions économiques, politiques et idéologiques, qu'elles soient de nature individuelle ou sociale.

Lukic commet ici une double confusion passablement courante : une première confusion consiste à englober sous le processus de production de biens et de services destinés à l'échange marchand toutes les autres formes de production sociale, tandis qu'une deuxième confusion consiste à télescoper production, circulation et distribution des produits sociaux, des privilèges et des servitudes.

Si, en système capitaliste en particulier, des processus qui ont nom production, circulation et distribution doivent être séparés, il s'en faut de beaucoup que la production doive seule « être maintenue à tout prix ». Bien au contraire, ni l'État ni le droit n'interviennent directement dans le procès de la production qui est tout entier laissé à l'exercice des « lois » du marché capitaliste et à l'arbitraire patronal, alors qu'ils interviennent au contraire pour régir et régenter ces deux autres processus que sont la circulation et la distribution sociales des produits, des patrimoines ou des privilèges.

Cette séparation entre production et autres processus sociaux caractérise précisément le capitalisme tel que nous le connaissons — et peut-être caractérise-t-elle également les régimes politiques fonctionnant sous l'égide du socialisme d'État — de sorte que force est, pour toute analyse critique, de resituer la production dans l'ensemble du système social, car il suit de ce que nous venons de voir que les autres procès sociaux ne sont nullement seconds par rapport à la production mais tout aussi indispensables au maintien d'un ordre capitaliste spécifique avec toutes ses discriminations et ses oppressions les plus diverses.

Mais il y a plus ici qu'un simple aveuglement de la part de certains analystes sinon une inhabileté à prendre en compte le statut économique et juridique de la production et les contraintes que l'imposition puis le maintien d'une telle détermination de l'économie exerce sur tous les autres procès sociaux.

Un exemple peut aider à saisir ce dont il est question ici. Si l'oppression des femmes en particulier n'est pas propre au capitalisme, il n'en demeure pas moins que l'évolution du capitalisme s'appuie sur une exploitation tout à fait spécifique et originale des femmes à travers l'institution de la famille conjugale. Dire que cette exploitation « en principe » ne concerne ni le capitalisme, ni l'État c'est tout simplement ignorer le problème dans son ensemble.

Sans prétendre jeter ici toute la lumière sur une question complexe, qu'il suffise d'indiquer que si, « en principe », l'exploitation spécifique des femmes ne concerne pas le processus de la production, elle se trouve par contre en pratique rivée à l'enjeu de la circulation sociale des patrimoines et à l'enjeu de la distribution des rôles et des fonctions au sein de la famille, et sans compter la fonction économique que cette oppression joue quand cela ne serait qu'au niveau d'une dévalorisation de la valeur du travail féminin au sein même de l'entreprise, comme au sein du « foyer ».

En d'autres mots, quelle que soit la fonction plus ou moins déterminante assumée par l'entreprise capitaliste productrice de biens et de services, la reproduction sociale dans son ensemble fait appel à d'autres institutions tout aussi déterminantes à leur niveau que peuvent l'être les institutions capitalistes au leur. Privilégier théoriquement et pratiquement les premières c'est non seulement se refuser la possibilité de comprendre les secondes, mais également ignorer le réseau complexe de contraintes et de normes qui les lient les unes aux autres.

Il y a donc — pour revenir à notre thème — une unité fondamentale entre l'économie et le droit qui est indispensable à la fois pour raffermir le mode de la production capitaliste et pour instaurer la détermination de l'économique sur tous les autres procès sociaux. Cette détermination fonde l'exclusion de tout un réseau ou de tout un ensemble de rapports sociaux dans la mesure où ils ne sont pas quantifiables, donc non économiques aux yeux de la « science » économique en particulier.

Dans ces conditions, ni l'État ni le droit ne visent spécifiquement le maintien d'une unité au sein du processus de production, mais ils correspondent plutôt l'un et l'autre à un stade donné du développement capitaliste où les séparations au sein de la société civile ont atteint une certaine maturité, un certain approfondissement.

La confusion naît peut-être à cette occasion chez Lukic de ce que Marx a par moments assimilé et confondu droit et idéologie et que certains marxistes ont pu, sur cette base, occulter par la suite les dimensions non économiques du rapport de pouvoir dans le droit. Pour Lukic, en effet, « les rapports économiques ou de propriété et les rapports politiques sont toujours et inévitablement des rapports sociaux entre deux classes principales, qui sont toujours réglés par l'État et le droit, au profit de la classe dirigeante [24] ».

Pourquoi assimiler abusivement économie et propriété au lieu de juxtaposer rapports économiques et juridiques ? Serait-ce qu'économie et propriété sont des équivalents de sorte que les rapports juridiques de propriété sont assimilés à la science économique, tandis que tous les autres rapports juridiques comme le contrat de mariage ou le contrat de travail sont regroupés sous le terme d'idéologie et relégués au niveau de l'opinion ?

Quant à la suite de la phrase qui ramène tout « rapport politique toujours et inévitablement à des rapports entre deux classes », il est proprement intenable, comme s'il n'y avait pas de rapport politique au sein des classes, entre des fractions de classes par exemple, comme s'il n'y avait pas de rapport politique entre les individus, entre les sexes par exemple.

Ce marxisme-là, sous prétexte de sérier les problèmes, ajoute plutôt à la confusion et il y ajoutera tant et aussi longtemps qu'il n'aura pas contribué à éclaircir la distinction entre l'économie et le juridique, entre ceux-ci et la politique. Cependant, nous pouvons aller encore plus loin dans la présente recherche afin de préciser la spécificité de l'État capitaliste.

À cet égard, indiquons que Lukic avait à bon droit fait valoir que l'État impose l'intérêt de classe non seulement à la classe dominée, ce qui allait de soi compte tenu de ses prémisses, mais également à l'individu déviant de la classe dominante — le patron qui ne respecterait pas une loi du salaire minimum, par exemple. Sous cet angle, l'État apparaît à la fois comme une institution de classe, mais également comme réalité « au-dessus » des classes susceptible dès lors d'imposer ses normes auprès de la classe dominante elle-même. Qu'est-ce à dire ? C'est dire que l'État fixe et représente les normes universelles de classe, contre les normes individuelles dans lesquelles s'emberlificote tel ou tel individu appartenant à cette classe. C'est d'ailleurs à cette condition que ces normes peuvent apparaître extérieures aux individus concrets et s'imposer à ce titre également aux oppresseurs comme aux opprimés. C'est en effet à cette condition que l'État apparaîtra comme une contrainte nécessaire pour toutes les classes indistinctement, occultant dans ce moment même la contradiction sur laquelle est basé tout État, à savoir être objectivement le produit de contradictions sociales et établir les normes ainsi que le pouvoir de la classe dominante.

La référence obligée ici renvoie à *L'Idéologie allemande* où Marx et Engels, développant l'idée de la permanence des intérêts opposés dans la société, relèvent que cet état de choses « rend nécessaire un arbitrage concret et la maîtrise des intérêts particuliers en faisant appel à l'intérêt « général », illusoire, à l'État ». Dans ces conditions l'État apparaît « tout à fait indépendant de la volonté et de l'évolution des individus et, qui plus est, commande celles-ci ».

L'introduction de la notion de volonté est intéressante et nous allons nous y arrêter quelque peu. Parce que c'est bien de volonté qu'il s'agit quand on parle de l'État ou du droit. Volonté collective tant que l'on voudra, il n'en reste pas moins que cette volonté semble animée d'une autonomie propre, d'un pouvoir propre. Les tribunaux et la dogmatique juridique nous ont forgé tout un arsenal de concepts ou d'expressions qui tendent à cerner l'ineffable : « Sécurité de l'État », « la règle de droit » ou la « Constitution » sont autant de références dans les circonstances qui éclairent la question et jettent quelque lumière sur les enjeux auxquels ont à faire face ceux qui détiennent le pouvoir d'État.

La première réflexion qui vient à l'esprit quand on pense à la volonté dans ses rapports à l'État, c'est bien que celle-ci n'a d'autre contenu que la volonté de maintenir et de conserver l'État lui-même. Dans ces conditions, peu importe la déviance qui se fait jour dans un État, ni d'où vient celui ou celle qui l'exprime, il suffit qu'une volonté déviante attaque de front cette volonté de maintenir l'État, la stabilité de l'État, les institutions juridiques idoines se mettront en branle pour casser ce foyer d'illégitimation.

À ce stade-ci, nous pouvons d'ores et déjà poser que le fondement juridique de la « personnalité morale » de l'État réside dans le maintien de normes spécifiques qui sont imposées à tous et chacun des sujets de l'État.

L'idée d'État, le concept d'État, n'est dès lors pas une idée creuse, un concept vide, elle renvoie à des normes apparemment universellement admises et, à ce titre, universellement imposées. Cette idée ou ce concept permet ainsi de valider d'autres institutions comme l'entreprise privée et la famille conjugale et de les protéger tout à la fois contre les effets destructeurs de la critique et ceux des pratiques alternatives ou carrément subversives.

Le recours à l'idée de l'État se trouve alors à marquer et à révéler le déploiement du conservatisme dans le sens le plus large et le plus fort du terme, la défense, la conservation et le renforcement de toutes les institutions civiles et militaires existantes à un moment donné.

À son tour, la critique de l'État, pour autant qu'elle s'en tienne à la question de l'exercice de classe du pouvoir d'État, ne valide aucun renversement de l'État en tant que tel et des normes juridiques de l'État; cette critique ne fonde tout au plus qu'une substitution des détenteurs de pouvoir avec le maintien de toutes les institutions et les discriminations sur lesquelles s'appuie le pouvoir d'État.

Pour sortir de ce dilemme, c'est du côté de la démocratisation et de la répartition du pouvoir politique dans la société qu'il faudra chercher.

Résumé

Pour nous résumer, disons ceci : la première difficulté que soulève l'utilisation de la notion d'État tient à ce qu'elle désigne deux ordres de réalité que l'on a généralement tendance à confondre, à savoir celui de l'État comme concept et celui de l'État comme ensemble d'appareils sociaux de production ou de redistribution de biens ou de services.

La deuxième difficulté que soulève la notion d'État, c'est celle de la mise au jour des rapports qui lient l'État à la société dans son ensemble, non pas uniquement à la seule société dite « civile », mais également à la société criminelle et à la société militaire.

Deux ordres de réalité avons-nous dit mais qui s'imbriquent la plupart du temps de manière inextricable. L'institution politique de l'État fonde un certain nombre de clivages dans la société : clivages entre l'homme et la femme, entre le citoyen et la citoyenne, entre la société civile et la « société » criminelle, un clivage également entre les nationalités. Ces clivages abstraits ou généraux sont la matière de l'État ; maintenir l'ordre et l'État ne font plus qu'un dans ces circonstances puisque toute atteinte aux institutions de la société civile — propriété privée, mariage ou bris de contrat — sont des délits ou des crimes, c'est-à-dire des atteintes directes à l'État lui-même. Cet État-là, cette institution étatique-là, appartient en propre à une période récente de l'histoire, celle de la montée des capitalismes et des socialismes actuels.

L'autre dimension est plus conjoncturelle, elle dépend de l'histoire de chaque peuple et des conflits ou des luttes engagés sur les plans interne et externe d'un État-nation et particulier. Ici, les rapports au sein de l'institution d'État entre des appareils comme les tribunaux, la police, le Parlement ou l'exécutif sont affaire de « plomberie » propre à telle ou telle société. Il en va de même des régimes politiques ; qu'ils soient républicains, despotiques ou monarchiques, ils visent essentiellement, à travers tout un réseau de pouvoirs et de rapports entre ces pouvoirs non pas tant à maintenir la stabilité de l'État comme institution, mais plutôt à accroître le poids de la bureaucratie dans l'État.

Et si, pour reprendre les termes utilisés plus tôt, l'État comme institution est apparemment au-dessus de la société et des individus, il n'en établit et n'en maintient pas moins un ensemble de séparations propres à la société civile actuelle sans lesquelles l'État n'a plus sa raison d'être.

Chicaner sur les modalités de fonctionnement des appareils de l'État, dénoncer la collusion entre des pouvoirs prétendument séparés les uns des autres, stigmatiser la caste qui détient les hauteurs de l'État ou critiquer l'extension d'une production bureaucratisée de biens et de services, c'est en définitive attaquer des appareils ou le fonctionnement d'appareils de pouvoir, cela ne remet nullement en cause l'État comme institution qui sépare le civil du militaire, le civil du criminel, l'homme de la femme, le citoyen du travailleur et qui échafaude au contraire entre les uns et les autres des rapports de pouvoir spécifiques consacrés dans des formes juridiques qui régissent le contrat de mariage, le contrat de travail ou le traitement de la criminalité.

Ainsi, l'État socialiste contemporain, tel que le représente l'U.R.S.S. actuelle, constitue vraisemblablement la meilleure illustration de ce que nous venons d'avancer : là-bas, on a assisté à un réaménagement complet des rapports de pouvoir au sein de l'État où le Parti communiste et les modalités d'exercice de pouvoir au sein des appareils d'État sont intimement abouchés les uns aux autres. Représentant la classe ouvrière tant que l'on voudra, le Parti maintient en place une institution d'État qui régente les vies civile, criminelle et militaire et maintient toutes ces divisions sociales propres à tous les États contemporains avec une certaine violence répressive en plus actualisée dans « l'institution » des camps de concentration. Cette institution-là ou ces institutionnalisations-là sont communes à tous les État à l'heure actuelle dans tous les systèmes pénitentiaires aussi bien à l'Ouest qu'à l'Est.

Les illusions que l'on se fait là-bas sur les vertus de l'État socialiste, voire sur le processus de dépérissement de l'État, sont à peine plus insoutenables que celles que l'on entretient ici sur le caractère démocratique d'une institution d'État qui délimite et maintient encore et toujours la famille conjugale et la répression des femmes, qui impose et maintient toujours le pouvoir des adultes sur les enfants et les adolescents, qui établit et maintient toujours le pouvoir des patrons sur les ouvriers et qui bureaucratise le moindre de ces enjeux plutôt que de conduire à la transformation des institutions en place de manière à alléger ou à diminuer les contraintes et les aliénations au lieu de contribuer à les accroître et à les approfondir.

Notes :

1 K. Marx, *La Sainte Famille*, 1845, Éditions sociales, 1963, pp. 146-7.

2 E.B. Pasukanis, *La Théorie générale du droit et le Marxisme*, E.D.I., 1970, p. 56.

[3] Friedrich Engels, *L'Origine...*, Éditions sociales, 1972, p. 178.

[4] G.W.F. Hegel, *Principes de la philosophie du droit* (1821), Paris Gallimard, 10e édition, 1940, p. 190. Notons, au passage, que le par. 258 reprend ensuite la distinction entre État et société civile.

[5] *Cf. Critique du droit politique hégélien*, Paris, Éditions sociales, 1975, pp. 43 *sq.*

[6] Pour reprendre l'expression de Lucio Colletti, *Le Marxisme et Hegel*, Éditions Champ libre, 1976, p. 288.

[7] L. Althusser, « Idéologie et appareils idéologiques d'État », *in La Pensée*, septembre 1970, pp. 3 et *sq.*

[8] *Idem.*

[9] *Cf. L'État, le pouvoir, le socialisme*, P.U.F., 1978, pp. 33 et *sq.*

[10] *Cf. Théorie de l'État et du droit*, Dalloz, 1974.

[11] Pour paraphraser Georges Gurvitch dans l'« Introduction » à ses *Eléments de sociologie juridique* (Aubier-Montaigne, 1940), si le droit se conçoit, historiquement, sans État, on ne peut pas par contre saisir l'État sans faire mention du droit, sous peine de donner dans la dogmatique politique à l'état pur.

[12] P.U.F. / Maspéro, 1976 ; Éditions sociales et Maspéro, 1968.

[13] Le premier est l'auteur de *The General Theory of Law*, Moscou, Éditions du Progrès, 1981. Tandis que les sept autres ont commis *The Soviet State and Law*, Éditions du Progrès, 1969.

[14] *Cf.* V.M. Chkhikvadze et al., *op.cit.*, pp. 42 et 159.

[15] *Cf.* L.S. Jawitsch, *op. cit.*, p. 17.

[16] *Idem*, pp. 270 et 273.

[17] Lukic, *op. cit.*, p. 71.

[18] *Cf. L'Économie du XXe siècle*, 3e édition, P.U.F., 1969, p. 46.

[19] Lukic, *op. cit.*, p. 79.

[20] *Principes de la philosophie du droit*, N.R.F., 1940, p. 191.

[21] *Idem*, p. 195.

[22] Lukic, *op. cit.*, p. 81.

[23] *Idem*, p. 82.

[24] Lukic, *op. cit.*, p. 91.

Droit, économie et ordre social

La pertinence des rappels et découpages effectués précédemment autour de la notion d'État devrait prendre forme à l'occasion d'une analyse préliminaire du droit. C'est en effet à la condition de lier l'État à la production du droit et à la sanction des lois que l'on peut être en mesure de cerner comment s'établissent les liens entre les conflits qui agitent la société civile et le pouvoir d'État. Et c'est d'ailleurs à ce niveau que l'approche strictement positiviste ou instrumentaliste voire l'approche fonctionnelle, développée par les théoriciens soviétiques, à l'étude du droit s'avère également insuffisante puisque le droit non plus ne saurait être appréhendé comme un « instrument » entre les mains d'une classe mais il doit également être étudié comme un mode spécifique de résolution de conflits, un mode de gestion politique propre à la société actuelle ; c'est dire, en d'autres mots, que l'État et le droit en tant « qu'instruments » ne répondent pas seulement aux nécessités ponctuelles surgies des aléas de l'accumulation de capital, mais que l'État et le droit reproduisent les fondements théoriques et pratiques qui enclenchent et prolongent les modalités sociales multiformes et variées de cette accumulation même. Il existe dès lors aussi bien dans l'État que dans le droit tout un réseau de séparations formelles dont la fonction première et dernière sert non seulement à légitimer l'État et le droit mais surtout à asseoir les fondements de l'universalisation d'une forme « civile » d'existence avec toutes les compartimentations et les brisures que le maintien d'un tel ordre appelle.

Deux dimensions à retenir donc, dans l'étude du droit également : *premièrement*, l'établissement d'un ensemble de séparations dans le droit qui se retrouvent à d'autres niveaux, plus pratiques, formalisées dans des Codes distincts ; ainsi en va-t-il de la séparation entre droit civil et droit criminel, en particulier ; *deuxièmement*, l'établissement, à l'intérieur de ces « séparations », de définitions et de sanctions plus ou moins congruentes mais dont la logique d'ensemble — si elle était reconstruite et reconstituée — établirait la configuration de l'univers civil capitaliste [1]. On a ainsi en vertu du droit civil, pour ne retenir qu'un cas, à côté de l'établissement de la propriété privée en tant que droit absolu, la valorisation du comportement du « bon père de famille », deux notions proches parentes à partir desquelles s'échafaude un ensemble de comportements « civils » bien sûr — faire valoir sa propriété, gérer en « bon père de famille » des biens, etc. — mais aussi deux notions qui circonscrivent également, sous l'angle de l'exclusion maintenant, les tenants et aboutissants de pratiques « délictuelles », voire criminelles, ces dernières étant régies par un autre code, le Code criminel, où se retrouve en quelque sorte le double inversé du « bon père de famille », l'inculpé.

Tâchons d'illustrer ces énoncés par la juxtaposition de quelques présomptions régies par les droits civil et criminel. Si le Code civil définit ce qu'il appelle la « jouissance des droits civils » en général, à la vérité ces jouissances tournent autour de l'acquisition, de la valorisation et de la circulation des patrimoines. La contestation de cet ordre civil, qu'il s'agisse du bris de contrat ou de l'abus dans l'utilisation des biens, qu'il s'agisse des attaques contre la personne ou encore des infractions contre l'autorité et la « personne » de l'État, tout cela est régi par le Code criminel et relève des tribunaux de juridiction criminelle. Ici, la séparation est totale entre les conditions du maintien de l'ordre civil d'un côté et les sanctions aux infractions criminelles à cet ordre de l'autre : deux Codes sont édictés dont les prescriptions sont sanctionnées par deux cours ou tribunaux ayant en ces matières des juridictions distinctes.

Cette séparation juridique entre les domaines civil et criminel — ordre et désordre — trouve son point d'ancrage et ses fondements dans l'institutionnalisation de cette séparation elle-même, institutionnalisation qui a précisément pour effet de légitimer cette apparente distance entre l'ordre civil et les infractions à cet ordre qui relèvent plutôt de la criminalité. Dans ce cas-ci, l'administration des justices civile et pénale ne sont pas « au-dessus » de la société, mais fragmentée de telle sorte que les conditions du maintien d'un ordre civil spécifique apparaissent bel et bien coupées et éloignées des conditions de la répression du désordre. Dans ces circonstances les « unités de mesure » appliquées par les tribunaux responsables sont apparemment différentes alors que leur mise en rapport circonscrit et légitime effectivement une production et une circulation de biens et d'individus spécifiques, et une répression propre à assurer ou à garantir ces production et circulation des biens et des individus.

Cette mise en perspective est particulièrement intéressante dans la mesure où elle nous permet de nous éloigner de l'approche instrumentaliste « selon laquelle le droit règle les rapports sociaux [2] » pour déboucher plutôt sur l'énoncé suivant : « La *réglementation* des rapports sociaux revêt dans certaines conditions un *caractère juridique* [3] ». Ainsi, sont « judiciarisés » — pour reprendre un néologisme courant — certains rapports sociaux et non toutes les relations sociales, et ceux en premier lieu qui font intervenir l'État en tant que tierce partie « apparemment » au-dessus des citoyens et des classes alors que c'est cette intervention même qui garantit, cautionne et maintient les rapports entre classes tout en assurant la domination d'une classe sur l'autre [4]. Il est dès lors significatif que le maintien du processus d'accumulation capitaliste passe par la multiplication des réglementations et de leur sanction par des instances judiciaires de tout ordre de telle sorte que la rationalité d'ensemble du système ne puisse plus être donnée dans la germination de pratiques éclatées ou morcelées, mais qu'elle doive plutôt être reconstruite par-dessus ces brisures ou ces éclatements à un niveau « supérieur », celui de la légitimité de l'État et du droit eux-mêmes.

Et nulle part cette indétermination apparente entre les pratiques et la théorie n'est-elle mieux consacrée que dans l'analyse du droit. Ici, la sanction du droit est fondée sur l'existence de la loi — cf. l'aphorisme « la loi c'est la loi » — alors que la légitimité du droit trouve ses racines dans la suprématie de la « règle de droit », la « rule of law » ; tout un enchaînement de rationalités qui se tissent en dehors des séparations relevées plus haut qui occultent leurs fonctions sociales dans le maintien de l'ordre civil capitaliste. C'est ainsi que le droit — comme l'État — peut apparaître au-dessus des citoyens précisément parce que le niveau d'abstraction auquel se situe la légitimation du droit et de l'État est complètement décroché par rapport au contingent, par rapport à la conjoncture historique du moment.

Le droit et la norme

L'étude du droit nous confronte ainsi à une difficulté de taille, celle qui consiste à théoriser le sens, la portée et la place d'un ensemble de normes ou de lois dans une société. Que l'on se rabatte sur la dogmatique juridique ou sur le réalisme juridique, au fond, le problème est le même ; que l'on énonce en effet que la loi est obligatoire parce qu'il y a une contrainte qui l'impose ou que, à l'inverse, l'on pose plutôt que c'est la contrainte qui est à la source de toute la loi, l'on ne semble pas avoir progressé dans la compréhension de la nature des lois ou du droit.

Engagé au départ, c'est-à-dire dès 1843, dans une querelle avec le fantôme de Hegel au sujet de la philosophie du droit, Marx n'a jamais résolu cette question mais a plutôt posé la nécessité de « changer de terrain », de quitter le monde des apparences juridiques pour se concentrer sur l'étude des fondements de la société, son économie politique, afin de faire surgir de ce lieu de véritables lois, c'est-à-dire des lois qui, à l'encontre de celles édictées par le pouvoir politique, régiraient concrètement et effectivement le développement de la production capitaliste.

Il y a là une substitution de terrain d'analyse ou un déplacement théorique et politique fondamental : en effet, dans la mesure où l'on parvenait à saisir les fondements sociaux du consensus formel qu'était sensé représenter le droit, dans la mesure où était subverti le contrat social qui aurait dû lier les hommes entre eux, dans la mesure, en d'autres mots où, à la suite de Feuerback, Marx et Engels avaient montré que la société civile bourgeoise était régentée par un droit de classe et non par la seule « Raison » détachée des contingences historiques, c'est qu'ils avaient déjà repéré le lieu où opéraient d'autres lois qui régissaient cette société à savoir celles de l'économie politique. En investissant ainsi un domaine particulier du savoir d'une centralité ou d'une détermination spécifique dans la consolidation des rapports entre classes sociales, il se trouvait que les autres domaines, les autres champs d'analyse, étaient marginalisés ; si l'économie politique et ses « lois » déterminent réellement et effectivement la configuration des rapports sociaux concrets, le droit — en particulier — ne concerne plus ces rapports concrets sinon leur seule apparence, et encore, pas n'importe quelle apparence, mais bien une apparence faussée, un échafaudage de méconceptions et d'illusions.

L'analyse marxiste du droit s'est trouvée dès lors à buter sur le problème du statut idéologique du droit avant même que de pouvoir en entreprendre l'analyse comme telle.

Mais, d'ores et déjà, cette approche pose plus de problèmes qu'elle n'en résoud. En effet, qu'est-ce qui, dans l'économie politique et en économie politique, permet ou permettrait d'investir ce domaine spécifique d'une pertinence telle que les lois que l'on pourrait dégager de ses analyses puissent prendre préséance sur les lois que l'on pourrait dégager d'autres domaines du savoir et, pourquoi pas, de la Loi et des lois elles-mêmes ?

Bien sûr, il n'en est rien, parce que ce ne sont pas les lois propres à un domaine du savoir par opposition à d'autres lois ou d'autres normes juridiques qui sont ainsi investies d'une détermination nouvelle ; ce n'est pas, en d'autres mots, parce que la loi des rendements décroissants est *plus* contraignante ou plus « juste » que la loi contre les coalitions des ouvriers que l'économie politique occupe cette place privilégiée dans l'esprit des premiers socialistes mais bien parce que l'économie politique cautionne, enclenche et valide tout à la fois une pratique bien spécifique, la pratique économique d'une classe capitaliste. Dans ces conditions, l'économie politique n'émerge et ne devient une science, c'est-à-dire qu'elle ne se détache d'autres branches du savoir et ne se consolide comme un domaine spécifique avec ses préoccupations propres, que dans le cadre de l'affirmation d'une pratique capitaliste ; dans ces conditions également, les « lois » que cette nouvelle science élabore n'occupent de place privilégiée dans une société que parce que la pratique de l'accumulation capitaliste l'emporte ou l'a déjà emporté sur les autres pratiques des classes dominantes.

En ce sens donc, la pratique et la théorie du droit sont seconds non pas parce qu'il s'agit de pratiques aléatoires et de théories biaisées, mais bien parce que cette pratique et cette théorie sont subsidiaires par rapport à la pratique et à la théorie économiques dans le cadre d'une production capitaliste où l'accumulation et la valorisation occupent une place de premier plan par opposition à la légitimation et à la circulation des droits et privilèges dont s'occupent plus particulièrement la dogmatique et la pratique juridiques.

À cet égard, il est faux de dire que le droit cautionne et légitime la production capitaliste en tant que telle, si le droit désigne d'abord et avant tout un ensemble de théories et de pratiques de légitimation et de circulation de droits ; peu importe en effet dans ces conditions, le mode de la production matérielle, le droit théorise et valide la circulation des droits et privilèges, devoirs et servitudes, propres à ce mode quel qu'il soit.

La théorie et la pratique du droit ne sont pas pour autant subsidiaires, voire indifférentes, elles sont bien plutôt à la fois le point de départ et le point d'arrivée de la pratique de la production sociale en général et de la pratique de la production telle qu'elle a cours sous l'égide du capital en particulier : si le droit de la propriété privée désigne le propriétaire, tout propriétaire n'est pas forcément un capitaliste et ne deviendra tel que dans la mesure où il usera de son droit de propriété — ou de celui d'un autre en tant que mandataire — à des fins d'accumulation capitaliste.

Il y a donc ici deux démarches qui sont enclenchées simultanément autour et à l'occasion d'une seule pratique, et rien ne s'oppose à ce que cette pratique soit investie maintenant d'une pluralité de significations ou de légitimations selon l'angle d'analyse, qu'il s'agisse d'économie, de politique, de droit ou de philosophie.

La pratique initiale, celle du capitaliste — ou de l'entrepreneur, pour reprendre le terme schumpétérien — dans son unité première est donc, au départ, à la fois économique et politique, sociale et juridique, ce sont, en d'autres mots ses significations qui sont éclatées ou morcelées dans et par le processus de théorisation ou de légitimation auquel cette pratique est soumise. Mais le propre de cette pratique réside en ce que, quelles que soient toutes les autres incidences sociales, politiques ou philosophiques qu'elle fonde et peut fonder, c'est la dimension économique de la pratique qui doit prévaloir et que l'économie politique établit dans sa théorisation. Il suit de cela que l'économie ou l'économique est déterminante dans ce mode de production parce que la pratique capitaliste consiste à imposer et à maintenir cette contrainte. Il suit de cela également que les autres pratiques — celle du droit ou de la sociologie, peu importe — prendront fait et acte de cette contrainte et, ce faisant, assoiront encore davantage la centralité du processus d'accumulation et de valorisation propres à cette production.

Ce n'est donc pas en termes d'ajustement d'une superstructure sur l'évolution des rapports économiques qu'il faut appréhender l'évolution de la dogmatique et de la pratique juridiques en particulier, mais plutôt comme déplacement, à l'intérieur de cette dogmatique et de cette pratique, du rôle, de la place et du sens de la fonction économique et des impératifs économiques qui sont venus à occuper là une place déterminante et à marginaliser ainsi d'autres pratiques, d'autres légitimations et d'autres impératifs civils, religieux ou sociaux.

C'est ainsi que des notions propres au départ à la science économique — les notions de profit, de rentabilité, etc. — envahissent le champ du droit et que les lois font de plus en plus appel à l'idéologie économique et que, par conséquent, la contrainte économique prend le pas sur les autres types de contraites dans l'application du droit [5]. C'est en ce sens d'ailleurs que la détermination qu'exerce l'économie sur les autres pratiques, sur les autres domaines du savoir, subvertit ces pratiques et ces théorisations et concourt ainsi à raffermir cette détermination même. C'est en ce sens de surcroît que les appareils de production de l'État ont été investis d'une rationalité économique capitaliste et qu'ils ont pris sur eux la pratique de la valorisation propre à ce mode de production. Conséquemment, ni la théorie, ni la pratique du droit ne sont extérieures au processus de la production matérielle, ni au-delà de ce processus, elles en sont au contraire des variantes parmi d'autres, des modalités parmi d'autres. Le capitaliste, l'avocat et le comptable sont à cet égard dans la même situation objective par rapport à la pratique de la valorisation, dans un même rapport vis-à-vis de l'ensemble du processus de la production matérielle et ce, même si leur rapport juridique à la propriété des stocks, des connaissances, du « know how », des moyens de production ou des bâtiments diffère : que le capitaliste soit propriétaire ou non, cela importe peu sinon sur le plan de la distribution des droits sur les produits de la production — rentes, profits ou dividendes — autrement et pratiquement, ils concourent tous uniment au fonctionnement même du processus de la production comme tel et c'est cela qui est déterminant dans l'articulation des rapports entre classes sociales.

Il y a donc une ambiguïté fondamentale à lever dans l'analyse marxiste des classes qui consiste à investir la notion de capital d'un contenu essentiellement juridique, c'est-à-dire, à assimiler le rapport de capital au seul rapport de la propriété privée et de confondre ainsi capital et droit à une quote-part d'une partie réalisée en argent de la production : profits, rentes, dividendes, etc., droit qui ne relève pas du capital comme tel mais bien d'un simple démembrement du droit de la propriété privée. Une telle définition rejoint d'ailleurs en tout point les théories juridiques du capital, aussi bien la théorie du capital en tant que « chose », que celle qui appréhende plutôt le capital comme *quantum* — respectivement les « res theory » et « quantum theory » appliquées alternativement par les tribunaux en droit des compagnies. Or, il y a une différence fondamentale entre propriété privée et capital que le droit et l'économie occultent complètement, différence que nous allons maintenant chercher à cerner, en revenant précisément à la définition de la propriété privée.

Notons au passage à cet égard que les définitions plus ou moins « classiques » apportées par les économistes à ce problème ne sont pas d'une très grande utilité. Et c'est ce qui fait dire d'ailleurs à un économiste contemporain, Michel Chatellus, que la recherche d'une telle définition est probablement vaine [6]. Pour les classiques également, le capital est tantôt une quantité — de marchandises, de stocks, de moyens de production — tantôt un des facteurs de la production, voire les deux à la fois. La première définition, de nouveau, confond propriété et droit, tandis que la seconde nous renvoie maintenant à la notion de facteur plutôt que de s'attaquer au capital comme tel. Bien souvent, pour leur part, les marxistes croient avoir tout dit quand ils ont énoncé que le capital est un rapport social, ou précisé qu'il est un rapport entre un propriétaire et un non-propriétaire et cette dernière définition laisse également entendre que « propriété » et « capital » sont des synonymes.

Nous allons tenter d'esquisser une réponse à la question en nous penchant d'abord sur la définition de la propriété privée. À cet égard, toutefois, le droit n'est pas très utile ; on connaît en effet la définition de ce droit telle qu'elle est consignée au Code civil :

> La propriété est le droit de jouir et de disposer des choses de la manière la plus absolue, pourvu qu'on n'en fasse pas un usage prohibé par les lois ou les règlements.

Nous pouvons parler de « prétendue définition » parce que le Code civil se contente ici de définir un droit comme étant un droit : le droit de la propriété est le droit de jouir des choses, ce qui ne fait que faire surgir cette autre question maintenant : qu'est-ce que ce droit à la jouissance ?

Systématiquement d'ailleurs, la dogmatique juridique a depuis longtemps relevé cette tautologie en vertu de laquelle l'approche juridique à la propriété confond le droit et la chose, c'est-à-dire le droit de jouir et la jouissance en tant que telle.

Une première façon de sortir de cette confusion consiste à revenir sur les qualités propres aux biens susceptibles d'être appropriés et cette qualité, prévue au Code civil, est à l'effet que, pour être soumis à la propriété, les biens doivent être dans le commerce. Cette précision est fondamentale ; elle implique en effet que le droit à la jouissance n'est ni un droit abstrait, ni un droit universel mais que son application est circonscrite dans un réseau d'échanges spécifiques. Il n'y a pas de pérennité du droit de propriété et ce droit est au contraire historiquement déterminé par le réseau des échanges commerciaux dans une conjoncture donnée. Le droit de propriété se trouve dès lors inscrit dans une circulation sociale spécifique.

Nous sommes ainsi passé d'une appréhension de la propriété sous sa forme purement juridique à la propriété analysée sous l'angle de la circulation des droits ; il nous reste maintenant à cerner la nature de cette circulation. Pour ce faire, il faut revenir sur la signification de l'expression « dans le commerce » et la préciser, parce que ce ne sont pas tous les biens qui entrent dans le commerce sinon uniquement ceux qui sont « susceptibles d'évaluation pécuniaire ». C'est dire que la circulation des droits de propriété trouve son actualisation dans ce fait d'être susceptible d'évaluation pécuniaire.

Ainsi, pour nous résumer, le droit de la propriété privée n'est pas un mode de détention de n'importe quel bien n'importe comment mais désigne très spécifiquement la détention et la circulation de biens susceptibles d'évaluation en argent.

Si le droit de la propriété privée circonscrit ainsi deux réseaux de rapports, la détention et la circulation, le capital ne concerne en propre que la production des biens et des droits sur ces biens ; dans ces conditions, le capital désigne essentiellement le processus même de valorisation auquel un bien approprié est soumis dans le cours de la production, et un processus de valorisation très particulier c'est-à-dire le processus même de l'évaluation monétaire des biens produits.

Si donc le capital est rapport social, il désigne surtout un processus très précis, à savoir le processus de la valorisation en argent des biens qu'il se soumet et, en tout premier lieu, le processus de valorisation de cette marchandise toute particulière qu'il achète, la force de travail. En ce sens, le capital n'est pas qu'un simple rapport entre propriétaire et non-propriétaire mais il désigne très spécifiquement l'évaluation en argent des forces de travail acquises par lui et la valorisation des marchandises produites par ces forces de travail.

Nous sommes dans un tout autre ordre d'idées par rapport à la simple détention et à la circulation ; ici, le rapport de propriété s'est trouvé confronté au processus de la production dans lequel le propriétaire n'a, à strictement parler, rien à voir et où interviennent plutôt le comptable, le juriste et le capitaliste, bref l'entrepreneur.

C'est cette distinction qui permet de comprendre pourquoi le capital peut survivre à l'abolition d'un mode de détention des droits et à l'abolition du droit à la propriété privée en particulier.

La distinction que nous avons établie au départ trouve ici sa légitimation : si la pratique et la dogmatique juridiques cautionnent la détention et la circulation des droits, l'économie et la pratique de la valorisation monétaire qu'elle fonde valident le processus de la production et de l'accumulation de capital. Mais elles valident surtout la valeur monétaire d'une marchandise très spécifique, le travail. Elles valident le salaire, le salariat.

Si donc l'on peut invoquer une forme ou une autre de détermination de l'économie sur les autres pratiques ou domaines du savoir, il ne faut pas que cette détermination occulte la profonde complémentarité entre pratiques, la profonde complémentarité entre domaines théoriques. C'est ce que nous avons voulu montrer en travaillant sur des distinctions juridiques pour saisir la portée de concepts économiques.

Pour conclure, nous pourrions relever quelques prolongements auxquels cette mise en parallèle des approches propres au droit et à l'économie peut conduire.

Le premier prolongement concerne bien sûr la complémentarité entre pratique et dogmatique juridiques d'une part, entre pratique et dogmatique ou science économique d'autre part, ce qui nous oblige bien sûr à redéfinir le sens, la portée et la signification de ce que l'on entend sous l'expression de la « détermination » de l'économie sur les autres sphères, instances ou niveaux de la vie sociale.

Le second prolongement suit le premier : dans la mesure où l'on invoque la complémentarité, la théorie du droit-reflet, du droit comme échafaudage de méconceptions ou d'illusions ne tient plus, à moins bien sûr d'investir l'économie des mêmes limites ou des mêmes caractéristiques, problématique qui nous replongerait dans toutes ces approches que l'on a coutume d'appeler « idéalistes » précisément parce qu'elles transposent l'efficace de toute théorie au seul niveau de l'abstraction. Or, ce serait plutôt l'approche contraire qui serait validée ici, c'est-à-dire cette approche en vertu de laquelle théorie et pratique ne s'opposent pas comme l'idéal au réel, mais se compénètrent et s'enchevêtrent plutôt, tout comme la dogmatique juridique prolonge la rationalité économique et que l'une et l'autre se conjuguent pour valider un ensemble de pratiques civiles d'accumulation capitaliste.

L'opposition des classes se définirait ainsi d'abord comme exclusion : exclusion d'un ensemble de pratiques et l'exemple du commerce est d'autant plus intéressant qu'en droit civil si, comme nous l'avons vu, en principe tous peuvent devenir propriétaires, le droit commercial a pu déjà poser par contre que ni les mineurs, ni les femmes mariées, ni les ouvriers ne le peuvent. Ainsi, en droit, le louage d'ouvrage renvoie au louage de choses, ainsi en économique, la dépense de travail social n'apparaît plus que sous la forme de sa seule rémunération, comme travail salarié, basculant de ce fait toute autre forme de dépense dans le non-économique et, de là, dans le non-social.

En conséquence, la pratique des classes dominées est constamment contrainte de s'imposer en tant que pratique sociale précisément contre la réification opérée par la pratique dominante, avant même que d'invalider les constructions théoriques — science juridique ou science économique — propres à la pratique dominante. C'est d'ailleurs pourquoi la critique de la science maintenant, qu'il s'agisse de la critique du droit ou de la critique de l'économie, n'atteint jamais sa pleine efficacité si elle ne prend pas en compte la pratique sociale des classes dominées contre les « nécessités » ou les lois de l'accumulation et de la circulation des biens, des services et des droits dans le seul échange rémunéré, dans l'échange marchand.

Ordre social et équilibre économique

Toute société s'impose un ensemble de normes qui régissent les rapports interpersonnels et collectifs de ses membres. La norme garantit un certain ordre social contre les forces de la dissolution susceptibles de bouleverser l'équilibre social qu'elle est censée garantir ou cautionner. La norme s'inscrit ainsi sur un fond de désordre qu'elle suppose et qu'elle démarque tout à la fois : elle institue de la sorte une contrainte et délimite les modalités de la transgression à ses propres préceptes.

C'est pourquoi la norme semble de prime abord participer d'un ordre de légitimation ou d'un ordre de réalité supérieur ou, à tout le moins, extérieur au monde de la contingence qui est celui dans lequel opère la validation ou la sanction d'un précepte ou d'une règle particulière.

Ce sont les notions de « droit » et de « loi » que l'on fait, à ce stade-ci de la réflexion, intervenir afin de mieux cerner cette double dimension du maintien du lien social ou de l'ordre social contre les forces de la dissolution ou du désordre social : le droit participe alors du nécessaire et de l'ineffable, de l'indéfinissable, tandis que la loi, mieux, les lois, ne sont autre chose que la transposition à un moment donné, dans un contexte historique donné, de la nécessité pure du maintien du lien de solidarité indispensable à la survie même d'une communauté.

À ce niveau, droit et socialité sont deux dimensions d'une seule et même réalité, d'une seule et même nécessité, celle de la survie de la société en tant que telle. Sous cette forme, le droit n'a pas d'histoire ou, plus précisément, son histoire se confond avec celle de l'humanité.

C'est le sens que l'on accorde en général à l'expression « droit naturel ». Le droit naturel en effet renvoie à cet ensemble de préceptes fondamentaux ou transhistoriques sans lesquels la vie sociale ne serait pas viable ; on trouve pêle-mêle sous cette expression aussi bien le droit à la vie, à la liberté, que le principe de l'égalité des individus.

Selon les approches, le droit naturel pourra être donné comme une émanation de préceptes divins, voire comme une transposition d'un droit divin, ou encore être complètement « laïcisé » et posé plutôt comme l'expression d'un idéal humanitaire transcendant les contingences historiques et les régimes politiques.

Historiquement, chez saint Thomas d'Aquin en tout cas, la définition du droit fait appel à deux dimensions : la raison et l'autorité. La raison d'abord, dans la mesure où le droit établit des règles et des mesures ; l'autorité ensuite puisque le droit tiendrait sa validité de quelque volonté supérieure, en l'occurrence, de la volonté divine.

Bien sûr cette autorité se trouve médiatisée en quelque sorte dans la personne du souverain qui participe à la fois du sacré et du profane. Ainsi, pour saint Thomas :

> La raison humaine n'est pas, d'elle-même, la règle de toute chose (...) La raison pratique s'occupe des matières opérationnalisables, qui sont singulières et contingentes, mais non pas des choses nécessaires dont s'occupe la raison spéculative. C'est ainsi que les lois humaines ne peuvent connaître cette droiture propre aux démontrations des sciences[7].

C'est dans l'incapacité où elle se trouverait de pouvoir s'appuyer sur la science, que la loi découvrirait plutôt son inspiration et sa finalité dans la raison spéculative ; c'est la raison spéculative qui établirait alors la jonction entre le contingent, l'historique ou le conjoncturel et les préceptes de la Providence, ou ce que l'on nomme encore le droit naturel.

Sous cet angle d'analyse, le droit participe alors de deux univers, d'abord d'un monde idéal auquel appartient tout principe fondamental, ensuite d'un monde historique donné où ces principes sont réalisés ou actualisés dans un ensemble de législations.

Il appartient vraisemblablement à Kant d'avoir poussé le plus avant la réflexion sur ces grandes lignes : la distinction qu'il établit et qu'il explore entre la raison pure et la raison pratique permet de rendre compte des fondements d'une raison empirique et historiquement déterminée dont la légitimité est donnée, en dernière analyse, dans la seule existence d'une raison transcendante, d'une raison pure. La raison humaine n'est raisonnable que parce qu'elle participe, d'une manière qu'elle ne peut elle-même appréhender, d'une raison universelle qui lui est étrangère mais dont l'existence même garantit sa propre validité en quelque sorte.

Dans le même ordre d'idées, le droit d'un pays ou d'une nation participe d'un droit naturel qui l'institue et le fonde, et dont il n'est qu'une transitoire transposition.

On appelle « idéalistes » ces approches à l'analyse de la société et du droit qui puisent dans les idées pures, les idéaux, les « ideal types » ou les modèles leur légitimité première et dernière. On qualifie ensuite de « kantien » ou de « néo-kantien » ces variantes de l'idéalisme qui admettent une distinction fondamentale entre le connaissable et l'inconnaissable, entre l'empirique et le non empirique.

Parce que ce n'est pas un des moindres paradoxes propres à ce genre de démarche idéaliste que de conduire, par une manière de renversement théorique, à une absolutisation de la recherche empirique et de ses applications pratiques dans une « physique sociale ». La doctrine de Kant trouvera alors ses prolongements empiriques chez Auguste Comte et chez John Stuart Mill pour lesquels la science peut désormais s'occuper de gérer la société. C'est le positivisme[8], en particulier, qui instituera la « physique sociale », cette science des sciences qu'est la sociologie, alors que le libéralisme de Mill institue plutôt la science économique d'un semblable statut théorique et téléologique.

À partir de là, le processus de la production des connaissances et des techniques susceptibles d'applications sociales ne peut plus être séparé du processus d'ensemble de la production matérielle. Car, en effet, ce qui fait désormais toute la différence d'avec les anciennes approches propres aux sciences des moeurs ou aux sciences morales, c'est précisément que les nouvelles sciences sociales viseront la mise au jour et la sanction de « lois » sociales. En d'autres mots, l'ordre social ne sera plus validé ou invalidé *in abstracto* par référence à un droit naturel antérieur ou à des préceptes divins, mais plutôt institué sur la base de découvertes scientifiques et de « lois » économiques et sociales, qu'elles émanent d'ailleurs de sciences aussi diverses que la sociologie, l'anthropologie ou la psychologie.

Dans un tel contexte, le droit et la loi prennent de tout autres dimensions : telle loi n'est plus juste ou injuste par

référence à un ordre supérieur idéal, elle est désormais plus ou
moins scientifique selon qu'elle entrave ou non le fonctionnement de « lois » économiques et sociales.

Il n'y a donc de « science juridique » que par abus des termes, il n'y a tout au plus qu'une méthodologie juridique [9] : le
droit ne saurait être scientifique, il n'est que la mise en oeuvre
technique, l'instrument ou le prolongement de « lois » économiques et sociales dont la découverte et la validation appartiennent en propre à d'autres domaines du savoir.

Les sciences sociales qui germeront et pulluleront dans la
foulée du positivisme, qu'il s'agisse de la sociologie, de la démo-
graphie ou de la criminologie, ne visent pas autre chose que
l'institutionnalisation de leur propre démarche et de leurs
découvertes propres. Le savoir s'institutionnalise dans les
facultés tout en se frayant une légitimité dans la chaîne du pouvoir politique.

Un des résultats de cette évolution c'est que le droit également va basculer dans le positivisme, c'est-à-dire délaisser l'exploration des questions philosophiques ou théoriques fondamentales pour se réfugier dans la technique juridique et la neu-
tralité méthodologique.

Mais que s'est-il passé au juste ? Comment en sommes-nous
venus à cette domination de la science sur la « raison » d'une
part, comment cette poursuite a-t-elle pu affecter le droit d'autre part ? Comment, en d'autres termes, peut-on cerner l'ensemble des processus qui ont contribué à instituer les sciences
sociales et, en même temps, à consacrer le type de rapport
qu'elles entretiennent aujourd'hui avec le droit ?

Une des réponses à ces questions se trouve dans les particularités propres à la démarche scientifique elle-même. À un certain niveau d'abstraction, la recherche scientifique apparaît
désintéressée, elle ne vise rien d'autre sinon la découverte de
la « Vérité ». À partir du moment où, tout au long de la Renais-
sance, la « Vérité » pouvait être donnée non plus comme le
résultat d'une « révélation » mais bien plutôt comme le produit
d'une recherche empirique d'un tout autre ordre, il devait suivre que c'était au chercheur, au scientifique qu'il appartien-
drait de trouver ces « Vérités », que c'était à lui qu'il appartien-
drait de découvrir les « lois » qui régissent l'univers et non plus

au prêtre ou au mystique, par exemple, comme cela pouvait être le cas précédemment.

L'ordre féodal est inconcevable sans Dieu ; il fallait donc, pour que la transition puisse s'opérer vers un ordre autre que la raison empirique déclasse l'institutionnalisation d'une volonté divine et, ce faisant, s'institue comme nouvelle révélation : la raison ne sait pas, mais elle cherche à savoir. La vérité n'est plus au-delà ou au-dessus de la société, elle est toujours et infatigablement à être cherchée et « re-cherchée » dans les fondements de la société elle-même.

Mais à partir du moment où cette « raison » s'institue et institue la science, elle définit du coup les limites de l'irrationnel, de l'inconcevable bref, de l'irraisonnable. Elle ne choisit pas, ne peut pas choisir n'importe quel objet de recherche ou de travail, si la science légitime un ordre social quelconque, il faut bien voir qu'au départ, et c'est cela qui est fondamental, la science suppose un ordre social : le positivisme s'oppose ainsi au négativisme c'est-à-dire, aux doctrines subversives, à l'irrationel, à la folie tout ensemble confondus.

Dans ces conditions, le droit n'a plus à opérer la médiation entre un ordre transcendant, immuable, idéal et le monde des contingences, il n'opère d'ailleurs plus de jonction du tout : le droit c'est la loi et la loi c'est l'ordre, rien de plus, rien de moins. D'où la multiplication des lois, le pullulement des institutions et des juridictions, d'où également l'apparente contradiction entre une théorie qui calfeutre une norme qui n'est instituée, ni validée par rien sinon par la capacité d'un pouvoir en place d'en sanctionner les transgressions, et le recours ou le repli sur les découvertes des sciences sociales pour légitimer ou valider telle ou telle norme, telle ou telle intervention législative. La science précède le droit, elle lui pave la voie et le laisse par la suite se dépêtrer avec les contradictions insolubles que posent nécessairement les transgressions.

Nous avons parlé « d'apparente contradiction » parce que l'impuissance de la doctrine juridique à théoriser *ex post facto* les nouvelles normes qui surgissent constamment devant elle est précisément comblée par le recours aux sciences sociales *ex ante*.

La conséquence première de ces bouleversements c'est bien sûr que les rapports entre la science et le droit seront rajustés,

mais c'est également que les rapports entre institutions scientifiques et institutions juridiques seront raffermis et c'est aussi
que, en dernier lieu, les chercheurs et les scientifiques eux-
mêmes se mêleront de cautionner, de fonder ou d'échafauder
un ordre social donné que le droit prendra ensuite à sa charge
de sanctionner. Ainsi, contrairement à ce que l'on pourrait de
prime abord penser, dans ce réseau de rapports et de relations
entre scientifiques et juristes, ce ne sont pas ces derniers qui
tiennent théoriquement et politiquement le haut du pavé, mais
bien les premiers qui s'assujettissent progressivement et inéluctablement le droit, la loi, les institutions juridiques et les
juristes eux-mêmes. Le paradoxe tient uniquement ici dans ce
que le statut économique, social et politique du juriste est en
général supérieur à celui du scientifique ou du chercheur, mais
il faut également voir derrière ce phénomène tout de même
beaucoup moins prononcé aujourd'hui qu'hier la fonction hégé-
monique qu'exerce le scientifique dans la préparation et
l'analyse des termes de références sur lesquels viendront
ensuite s'échafauder des lois.

C'est d'ailleurs une « loi » des systèmes sociaux actuels que
la recherche et les hypothèses de travail précèdent chronologi-
quement et théoriquement l'adoption des législations. Le
recours à la commission d'enquête ou à la commission parlementaire, en particulier, est par excellence une des formes de
cette institutionnalisation des relations entre science sociale et
droit où l'ensemble des recommandations qui sourdent d'un
cadre d'analyse théorique donné sert de base aux mesures
législatives qui seront adoptées par la suite.

À son tour, une telle institutionnalisation des rapports entre
la science et le droit participe d'une gestion plus large du développement de la société qui sera conduite sous l'égide d'une
économie politique spécifique qui pourra être d'inspiration libérale, keynésienne ou marxiste, entre autres.

La science opère ainsi à deux niveaux, à la fois structurel
et conjoncturel si l'on veut, à la fois général et particulier, à
la fois universel et ponctuel. On a à un premier niveau le
recours à la science mieux, à la raison empirique, qui se substitue graduellement et supplante éventuellement le recours à
la « raison pure » ; on a à un second niveau les nombreux et

spécifiques recours à diverses rationalisations plus ou moins scientifiques dans des cas spécifiques.

C'est au premier niveau, sur le plan de l'ensemble ou de la totalité que l'on peut placer la notion de « mode de production », entendant sous cette expression non seulement le mode de la production tant matérielle qu'immatérielle — la matière et la pensée — mais également le mode de la théorisation de ce mode de production.

Sous cet angle, ce qui appartient en propre au capitalisme, ce n'est pas seulement le règne de la marchandise, mais encore et surtout la légitimité théorique susceptible d'asseoir l'établissement de ce règne. Et cette légitimité, c'est le recours à la raison empirique qui en fournit la clé. À cet égard, la science ou les sciences ne sont que l'« incarnation » ou la matérialisation de ce raisonnable-là. À son tour, en gagnant ainsi son autonomie et en s'institutionnalisant, la raison empirique devient pratique sous les deux sens de ce terme, c'est-à-dire qu'elle devient à la fois utile et *praxis*.

La pratique scientifique se double d'utilité : la science ne sert pas que celui qui s'y consacre, elle ordonne la société dans laquelle elle s'exerce. Cela ne revient pas à énoncer tout bonnement que toute science sert nécessairement un pouvoir ou que les résultats de la science servent différemment diverses classes sociales, cela veut plus fondamentalement dire que la science elle-même institue l'ordre social. Non pas parce que sans science il n'est pas d'ordre possible, mais plutôt parce que l'ordre que nous subissons tient aux sciences qui le portent. La question ici n'étant d'ailleurs pas de proposer de changer de science pour changer d'ordre, sinon d'ouvrir sur l'irraisonnable et le désordre mêmes afin de saisir les fondements du droit et de l'ordre dans nos sociétés pour déboucher ensuite sur des perspectives de transformation sociale.

À cette fin, il faut nécessairement sortir des cadres de la science instituée en tout cas si l'on cherche à saisir les fondements pratiques et théoriques de la raison empirique dans la société.

Quoi qu'il en soit, si les rapports entre le droit et les sciences sociales se sont raffermis tout au long de l'histoire des cent dernières années, il est une articulation tout à fait particulière

entre le droit et l'économie que nous allons explorer maintenant puisque c'est grâce à cette analyse que nous serons en
mesure par la suite d'effectuer un retour sur l'État, puis de là,
sur le démocratisme dans ces contextes.

Droit et économie

Le droit et l'économie sont, plus que toute autre science,
engagés directement dans la production de lois. Dans tous les
autres domaines du savoir en effet l'on cherche plutôt à découvrir les lois qui servent à interpréter des faits sociaux ; alors
que le droit et l'économie régissent des comportements individuels et sociaux, imposent des normes, en délimitent les con-
tours et en sanctionnent la transgression, dans les autres
domaines l'on se contente plutôt d'interpréter que de régenter,
même si les résultats de quelque découverte peuvent servir à
des fins de manipulation sociale.

Pour arriver à éclairer quelque peu le sens et la portée des
contraintes juridiques et des contraintes économiques respectivement, ainsi que la place et la portée des édifices intellectuels
qui supportent et valident ces contraintes et leurs sanctions,
nous nous proposons d'opérer avec un système de distinctions
où la norme se trouve appartenir *de facto et de jure* à l'institution qui la porte. Nous distinguerons alors norme ou contrainte
juridique et norme ou contrainte économique non pas au niveau
de la nature de la norme, puisqu'à ce niveau il n'y a aucune différence essentielle qui permette d'établir une semblable distinction, mais au seul niveau de sa fonction.

En effet, bien que, comme nous le verrons ci-après, le droit
ou la loi viennent ici à la rescousse de l'économie en sanction-
nant le bris de contrat de travail ou le simple refus d'obéir à
un supérieur, la science économique porte ses propres lois ou
contraintes dont la transgression fait appel à la loi et aux
tribunaux.

Les lois de l'économie dérivent au premier chef de la pratique de l'accumulation, pratique essentiellement économique, et
non pas du droit ou de la législation. Ainsi en est-il de la concurrence ou encore de l'accumulation de capital elle-même qui sont

inscrites dans la logique d'un certain type de développement ou de croissance, avant que d'être reprises par des législations comme un Code de commerce, une Loi des banques ou une Loi des compagnies.

Cela se vérifie également d'ailleurs sur le plan interne des entreprises, manufactures, usines ou ministères qui adoptent des règlements internes, les édictent et les sanctionnent, un peu à la manière d'un État dans l'État. Cette législation n'a pas eu, historiquement, grand-chose à voir avec les législations existantes [10]. Ce n'est à la vérité qu'avec l'émergence de la négociation de conventions collectives de travail que s'instaurera un lien entre le droit positif, quelques-uns des acquis qu'il assurait à l'intérieur de la société civile, et la mise en échec de l'arbitraire patronal qui s'exerçait sur les lieux de travail.

Sans établir pour le moment d'autre distinction entre contraintes juridiques et économiques, ce sont les domaines d'application du droit et de l'économie que nous aborderons de front.

Deux questions doivent dès lors être évoquées : *premièrement*, comment sont établies les normes juridiques et économiques? et *deuxièmement*, comment sont-elles sanctionnées?

Comment sont établies les normes ?

Si le droit trouve dans le texte écrit de la loi ou du Code son mode d'exposition privilégié, l'économie trouve plutôt dans la pratique, c'est-à-dire dans l'ensemble des comportements d'accumulation de richesses matérielles, ses fondements théoriques. Néanmoins, privilégier ici la rédaction des lois par rapport à leur interprétation ou à leur sanction et la pratique d'accumulation par rapport à sa théorisation permet tout simplement de situer le niveau où opèrent ces sciences et la détermination qu'exercera alors la rédaction ou la codification sur les autres niveaux ou pratiques dans le cas du droit, la pratique d'accumulation sur les diverses hypothèses scientifiques retenues dans le cas de l'économie ou de la science économique.

Cette approche permet alors de situer la portée de l'utilisation de la métaphore marxiste « base-superstructure » dans une optique bien précise. L'on ne peut plus parler d'une détermination brute de la base économique sur la superstructure juridique mais plutôt d'une détermination de pratiques juridiques et législatives sur le droit dans le premier cas et d'une détermination de la pratique économique sur la théorie économique dans le second, en laissant ouverte, pour le moment, la question du rapport entre droit et économie.

Il est d'ailleurs significatif à cet égard de rappeler que ce n'est qu'à l'occasion de bouleversements sociaux importants que les rapports entre la loi et le droit sont renversés en faveur de celui-ci et que s'impose alors la nécessité de récrire et de refondre les lois en fonction de valeurs sociales nouvelles en plus ou moins complète rupture avec les anciennes valeurs figées dans les ancien Codes. En temps normal, quels que soient les progrès de la théorie du droit, des études philosophiques ou sociologiques, les lois sont modifiées en rapport avec une tout autre logique et en référence à des réseaux d'intérêts beaucoup plus précis : l'évolution de la jurisprudence y prend la première part, les intérêts privés de groupes sociaux plus ou moins restreints exprimés, par exemple, en commission parlementaire y prenant la seconde, les aléas des engagements électoraux partisans et tactiques des partis et des gouvernements en place y prenant la troisième place.

Il résulte de ceci l'établissement d'un écart grandissant entre une certaine forme de théorisation qui se trouve être progressivement aliénée par rapport au réel juridique et sans grande emprise sur lui.

L'exemple le plus frappant de ceci est donné dans les nouvelles définitions ou formulations qui sont proposées par l'Office de révision du Code civil. Peu importe l'augmentation des contrôles bureaucratiques, administratifs, politiques ou policiers qui ont été imposés aux individus depuis trente ans, l'on peut se payer le luxe d'une définition abstraite de la personne et d'un coup de chapeau du côté de son inviolabilité.

L'on pourra trouver un exemple historique intéressant de ceci dans un article consacré par Karl Marx à l'affaire des « vols » de bois sur les terres d'aristocrates. L'on verrait alors que les parlementaires ne s'embarrassaient pas de théorie pour légiférer contre la coutume et appeler désormais « vol » ce qui avait été une coutume des pauvres de s'alimenter en bois à même les terres de leur seigneur [11].

Les conséquences de cet état de fait sont doubles : elles limitent la critique des textes ou des lois existantes, de leur application et de leur sanction à un niveau superficiel, c'est-à-dire formel et formaliste, posant par là que le seul remède à apporter aux manquements passés réside dans tel ou tel amendement à apporter à la loi existante, voire dans la rédaction d'une nouvelle loi, ou la réécriture d'un nouveau Code. Cette approche fait alors l'économie d'une critique sociale un tant soit peu approfondie d'une part, escamote également, bien entendu, tout contrôle démocratique sur les instances impliquées et leurs initiatives législatives d'autre part.

Dans le même ordre d'idées, ce ne serait qu'à la suite de l'irruption des classes dominées sur la scène de l'histoire que l'ancien réseau des pratiques privatives d'accumulation de capital peut être brisé de sorte que, en temps normal, la théorie de l'accumulation n'a d'autre norme ou d'autre valeur à prendre en compte... que l'accumulation pour l'accumulation elle-même. Dans ces conditions, c'est la science économique et non le droit ou la loi qui est par excellence le lieu de la légitimation première et dernière des décisions des propriétaires de l'économie.

Hypostase de la loi, hypostase de la pratique à la course aux profits, où se situent alors les édifices intellectuels juridiques et économiques dans chacun de ces cas ?

Si la science économique valide et légitime l'accumulation, c'est la loi qui institue cette pratique ; la loi fonde la pratique de l'accumulation tandis que celle-ci trouve dans la loi son articulation, sa matérialisation. Il s'ensuit évidemment que théories abstraites et sciences critiques se trouvent ravalées au niveau d'une pure et simple caution et que leurs découvertes ou leurs hypothèses n'offrent pas grand intérêt pour la loi ou l'accumulation sinon — et cette réserve est fondamentale —, sinon dans la stricte mesure où la science peut renforcer et intensifier ce rapport entre la loi et l'accumulation d'une part, renforcer le règne de la loi et accélérer le processus d'accumulation d'autre part.

Il serait dès lors erroné de séparer la théorie du droit du monde économique comme le fait en particulier Max Weber et de la placer dans un monde à part [12]. Cette séparation a précisément pour effet d'occulter l'intimité des rapports entre ces deux réseaux de pratiques et qui ne tient pas seulement au rôle que jouent lois, juristes, avocats et magistrats dans le maintien d'une paix industrielle ou sociale relative, mais encore dans la fonction idéologique essentielle que jouent les théoriciens du droit lorsqu'ils établissent, maintiennent ou légitiment une coupure entre le monde des principes et celui des actes.

L'on peut bien sûr tenter de montrer que l'ordre légal, celui des contingences et non plus maintenant sa théorisation, n'est qu'un cas particulier de contrôle social et qu'à ce titre il ne vise rien d'autre qu'à fonder le maintien des liens de socialisation. C'est sous cet angle que se place Max Weber lorsqu'il écrit que les applications du droit à l'économie ne sont qu'un cas particulier puisque d'autres intérêts parmi les plus divers, allant de la protection de la personne à l'honneur dû aux pouvoirs divins sont également protégés [13].

Cela n'est vrai qu'à la double condition d'isoler les pratiques économiques des autres pratiques sociales d'une part, et d'ignorer l'enchaînement ou les liens entre ces deux ensembles de pratiques d'autre part.

Or, cet isolement lui-même semble crouler sous le poids de l'universalisation des pratiques économiques de sorte que le rapport qui s'établit entre les niveaux en est un de contagion pure et simple.

Si cette coupure a jamais existé, elle n'existe plus aujourd'hui ou, à tout le moins, s'avère difficilement défendable : la famille est une institution juridique dont on dira tout ce qu'on voudra, mais c'est également une unité économique fondamentale dans l'établissement de l'équilibre économique ; d'ailleurs il est significatif de relever que la notion économique de ménage se substitue de plus en plus à celle, juridique, de famille jusqu'à être reprise maintenant par le droit. Et comment pourrait-on isoler pratiques politiques, pratiques sociales ou même pratiques scientifiques, alors que les critères économiques de comptabilité, de rentabilité bref, alors que la rationalité et la pratique économique d'accumulation les traversent de part en part ?

À l'accumulation des marchandises stigmatisée par Marx, répondrait aujourd'hui l'accumulation des connaissances. Mais, un élément nous fait encore défaut ici pour lier ces réseaux les uns aux autres dans une unité qui soit à la fois juridique et économique, un élément qui permettrait de saisir en quoi la relative indépendance entre réseaux de pratiques, entre ordre juridique et ordre économique, s'est transformée dans une indissociable compénétration. Cette jonction, c'est bien sûr l'État qui l'opère. Si, en effet, le droit ou la loi se conçoivent sans État et si, de même, la pratique de l'accumulation peut être envisagée sans État, la sanction politique et sociale de la loi de l'accumulation maintenant n'est pas concevable hors du cadre de l'État.

Seul l'État peut théoriquement et pratiquement cautionner des pratiques d'ordre légal et d'ordre économique, en même temps qu'il impose les sanctions qu'appelleront toutes les transgressions à ces ordres.

Somme toute, l'État auquel nous en sommes arrivé n'est pour le moment qu'une institution qui permet de faire fonctionner deux réseaux de pratiques. Il faut aller plus loin que cette seule explication fonctionnelle nous permet de le faire et envisager maintenant l'État comme personne morale ou comme institution habilitée non seulement à légiférer et à sanctionner des lois mais également engagée directement dans le processus de l'accumulation des richesses et des connaissances.

Autrement dit, nous aboutissons à une pétition de principe : les normes juridiques ou économiques sont obligatoires parce que l'État a le pouvoir et la capacité technique de les sanctionner, d'une part, parce que l'État s'impose lui-même comme une entreprise capitaliste d'autre part. La validité de la rationalité en cause n'a pas à faire appel à la théorie ou à la philosophie politique, la norme se suffit à elle-même à condition qu'elle assure la croissance économique de l'État.

C'est dès lors l'État lui-même qui s'est métamorphosé en entreprise capitaliste, allant jusqu'à emprunter à celle-ci sa comptabilité économique interne pour développer une comptabilité nationale : l'instauration des comptes nationaux par les États capitalistes et socialistes développés marque la prise en charge, au niveau de l'ensemble d'une ou de plusieurs nations intégrées dans un État particulier, de normes comptables propres à l'entreprise privée capitaliste. Le développement ou la croissance économique, en un mot l'accumulation, historiquement investie dans la propriété privée, devient affaire d'État, une contrainte universelle. Ce ne sont plus désormais les seuls ouvriers ou employés et leurs dépendants qui sont touchés par la contrainte de la croissance de type capitaliste, ce sont tous et chacun des individus de l'État qui le sont.

À cet égard, en passant, l'abolition de la propriété privée ou de la détention privative du capital et sa prise en charge par l'État constituent une vaste entreprise d'étatisation du capital et, par voie de conséquence d'étatisation du salariat qui universalise plutôt que d'abolir les contraintes inhérentes au développement ou à la croissance de type capitaliste. Cela n'a plus grand-chose à voir, comme on peut le constater, avec un soi-disant dépérissement de l'État, non plus qu'avec une soi-disant abolition du lien salarial, processus envisagés par Marx dans ses moments les plus critiques.

En ce sens, l'intervention de l'État dans l'économie n'apparaît plus comme une intervention extérieure, comme un *deus ex machina*, mais révèle plutôt que l'État lui-même s'est désormais métamorphosé en institution économique suprême : l'État, c'est l'entreprise de la nation.

Cette nouvelle dimension jette un autre éclairage sur le sens et la portée de l'interpénétration des normes et des lois dans les domaines économique et juridique.

Comment sont sanctionnées les normes ?

Dire que les normes sont sanctionnées par l'État c'est laisser inexpliquées deux choses : l'une concerne la finalité de la sanction elle-même, l'autre concerne le pouvoir de sanctionner investi dans des autorités autres que celle de l'État. Nous commencerons par cette deuxième question avant d'aborder le problème plus général de la transgression et de la sanction.

Toute entreprise, toute compagnie dispose également d'un pouvoir de contrainte « organisé et légitimé ». Le pouvoir d'embaucher ou de débaucher compte, en tout premier lieu, comme un droit économique absolu qui permet de discriminer dans le cheptel humain entre celui qui travaillera et celui qui ne travaillera pas. Le pouvoir d'adopter des règlements, de les appliquer et de les sanctionner qui fonde l'obligation d'obéir de tout salarié : l'obligation de se taire, d'écouter ses supérieurs, de travailler diligemment et de respecter les finalités de la firme.

Cet ensemble de pouvoirs n'est pas sans affinité avec celui dont dispose cette entreprise au-dessus des entreprises qu'est l'État, sauf qu'ici ni la démocratie formelle, ni la séparation formelle des pouvoirs n'existent : les « élus » ce sont les propriétaires du capital et ce sont eux qui décident, édictent et exécutent sans se préoccuper de respecter le moins du monde le formalisme qu'ils s'attendent à trouver dans la vie civile où la séparation des pouvoirs et la démocratie parlementaire sont donnés comme les fondements des sociétés avancées.

Toute famille ou tout ménage enfin dispose de la même mainière d'un monopole de la contrainte investi autrefois dans l'exercice de la puissance paternelle, investi aujourd'hui dans une autorité parentale.

C'est dire que normes, contraintes et sanctions sont communes à plusieurs institutions en dehors de l'État et qu'il ne faut pas chercher dans l'organisation et la légitimation l'explication finale de la contrainte étatique par rapport aux autres : l'entreprise et la famille organisent et légitiment leurs contraintes comme le fait l'État.

Non, ce qui caractériserait plutôt l'État, ce ne serait ni la norme, ni la contrainte mais la nature de la sanction qui se trouve validée et imposée dans et par le maintien d'un système pénitentiaire et carcéral donné d'une part, la légitimation théorique et pratique de la contrainte de l'accumulation d'autre part.

C'est à ces niveaux d'ailleurs, c'est-à-dire aux niveaux de l'élaboration de la sanction des normes et des contraintes, la seule différence entre l'État et les autres institutions dont nous avons parlé. En effet, l'État n'a pas le monopole du recours au droit écrit, à la coutume ou à la convention, l'entreprise ou la famille y ont — ou peuvent — également y avoir recours. D'autre part, l'État n'a pas le monopole de l'élaboration des lois et de l'imposition des contraintes, nous l'avons vu : l'entreprise et la famille imposent le respect de leurs règlements et leur transgression appelle, ici aussi, le recours aux sanctions. Non, ce qui constitue à ces égards la spécificité de l'État c'est bien l'institutionnalisation du pouvoir politique et celle de la répression : l'État s'appuie sur une répartition de pouvoirs donnée et sanctionne toutes les transgressions aux contraintes sociales que l'implantation de cette répartition appelle.

Un tel système d'institutionnalisation d'intérêts politiques, économiques et juridiques sous l'égide de l'État ne survit plus actuellement que par la multiplication des normes, le pullulement des contraintes et la multiplication vertigineuse des sanctions à tous les niveaux, à tous les degrés.

On en arrive alors à l'établissement d'un « État solide » comme un bloc, sans faille, sans imagination, et non pas à l'établissement de l'État rationnel rêvé au siècle dernier.

Dans un tel système et dans un tel contexte seule la transgression est porteuse d'espoir. Transgression qui peut opérer à plusieurs niveaux bien sûr : les normes imposées appellent divers types de contraintes qui, à leur tour, renvoient à des sanctions diverses. Mais en tout état de cause, ce serait ainsi au prix de la transgression que la liberté ou la souveraineté — au sens où l'entend Georges Bataille — se conquerraient. Par contre, le respect ou la soumission aux normes ne peut qu'alimenter l'élaboration des nouvelles contraintes, l'imposition de nouvelles sanctions dans une fuite en avant de l'accumulation des législations, des règlements et des décrets qui n'est pas sans rappeler la fuite en avant dans l'accumulation effrénée de marchandises qui opère au niveau économique de la société.

L'État qui est devenu l'entreprise de la nation appelle la contestation et la démocratisation, tout comme l'entreprise capitaliste classique avait été soumise aux pressions antiarbitraires de leurs ouvriers et de leurs ouvrières. La différence c'est qu'aujourd'hui tous et chacun des individus sont impliqués et concernés par l'extension et l'intensification du poids de l'État alors que, précédemment, seuls les salariés de l'entreprise étaient directement impliqués dans la transformation de leur milieu de travail.

Notes :

1 C'est ainsi qu'en droit les définitions de certaines notions de base peuvent varier d'une loi à l'autre.

2 Pasukanis, *La Théorie générale du droit et le Marxisme*, E.D.I., 1970, p. 68.

3 *Idem*, p. 69.

4 Sur cette intervention d'une tierce partie, élément consubstantiel à la réglementation juridique, on pourra consulter le chap. 1 de l'ouvrage d'A. Kojève, *Esquisse d'une phénoménologie du droit*, Gallimard, 1981.

5 *Cf.* la démonstration de John R. Commons, *Legal Foundations of Capitalism*, (1924), A.M. Kelley Publishers, 1974.

6 *Cf. Production et structure du capital*, Cujas, 1967.

7 *Cf. Somme théologique*, Q, 109.

8 Le positivisme s'oppose au négativisme ; il oppose ainsi une vision positive de l'ordre existant contre l'approche négative, c'est-à-dire critique de l'ordre en question.

9 *Cf.* L'ordonnance adressée par le Ministre de l'Instruction publique Guizot aux recteurs le 29 juin 1840 : « ... tous les bons esprits se plaignent depuis longtemps d'une lacune grave dans l'enseignement du droit. Les élèves, en entrant dans nos facultés, n'y trouvent point un cours préliminaire qui leur fasse connaître l'objet et le but de la science juridique... Vous n'ignorez point qu'en Allemagne où la jurisprudence est si florissante, il n'y a pas une seule faculté qui ne possède un pareil cours sous le nom de *Méthodologie*. C'est un cours que j'ai proposé au roi d'établir à la Faculté de Droit de Paris... ». Cité *in* « Préface » à l'ouvrage de N.M. Korkounov. *Cours de théorie générale du droit*, Paris, Giard et Brière, 1903.

10 Un exemple de ceci nous est fourni par les distinctions toutes empiriques utilisées par les patrons dans les anciennes conventions collectives et qui consistaient à investir une description de tâches d'un contenu « juridique » spécifique auquel vient bien sûr s'ajouter, dans le contexte d'une domination du capitalisme anglo-saxon au Québec, l'aliénation linguistique. Et un exemple de ceci nous est fourni par une description de tâche telle qu'elle apparaissait dans une convention collective datant de 1945 : « Les opérations seront classifiées par la compagnie en termes de « male », « boy » ou « female », basés (sic) sur l'évaluation des opérations et les classifications, et les mêmes taux seront payés pour un ouvrage que

ce soit une classification de « male », « boy » ou « female ». *Cf. Entente entre l'Union internationale des Employés de caout-chouc synthétique, Local 78 et la Cie. Dominion Rubber Ltée*, 26 juillet 1945, article V, par K.

[11] *Cf.* à ce sujet l'extrait suivant : « Mais alors que ces droits coutu-miers de l'aristocrate sont des coutumes contraires à l'idée d'un droit rationnel, les droits coutumiers des pauvres sont des droits contraires aux coutumes du droit positif ». K. Marx, *Debates on the law of thefts of wood*, in Marx-Engels, *Collected Works*, vol. 1, mars 1835-1843, N.Y., International Publishers, 1976, p. 232.

[12] M. Weber, *On Law in Economy and Society*, (1925), N.Y. ; Simon and Schuster, 1967, p. 12 : « The ideal « legal order » of legal theory has nothing directly to do with the world of real economic conduct, since both exist on different levels. One exists in the ideal realm of the « ought », while the other deals with the real world of the « is ». »

[13] *Idem*, pp. 33 et *sq*.

L'État, la planification
et la démocratie

Dans leur acception la plus générale, les notions de « développement » et de « croissance » sont des variantes d'un processus plus global qui a nom « progrès[1] ». Néanmoins, si ce dernier terme a des connotations plus vagues qui renvoient aussi bien à l'avancement technique d'un côté, qu'à une espèce d'amélioration des comportements de l'autre, la notion de « développement économique » circonscrit plus particulièrement le réseau des rapports qui se nouent dans le processus de l'accumulation de richesses matérielles[2].

Historiquement, la notion de développement en économique est inséparable du processus d'industrialisation qui prend son essor dans les sociétés occidentales tout au long des XVIIIᵉ et XIXᵉ siècles.

À cet égard, de nos jours, l'utilisation des termes comme ceux de « développement » ou de « croissance » est indissociable d'une approche tout à fait particulière à l'étude des rapports sociaux en ce sens que cette utilisation s'articule autour d'une approche purement quantitative à l'analyse des sociétés alors que cela n'a pas été nécessairement le cas par le passé où l'utilisation qu'en font des théoriciens comme Hegel et Marx en particulier s'articule autour d'une approche globale et normative à l'analyse de l'évolution des sociétés.

Fréquemment à l'heure actuelle, dans la foulée des travaux accomplis par certains auteurs comme W.W. Rostow et A.O. Hirschman, les notions de « développement » sont utilisées pour comparer entre eux des États à partir d'un ensemble de coordonnées qui permettent de situer et de mesurer les sociétés comparées[3]. Toutefois, que ces comparaisons s'établissent dans le temps ou dans l'espace, c'est-à-dire qu'elles s'établissent ou bien par le biais d'une analyse historique de la croissance d'un État, ou bien par le biais d'une comparaison entre deux États à un moment donné, l'une et l'autre démarches supposent un point de départ commun qui sert de référent plus ou moins explicite dans chaque cas. C'est donc à un double titre en quelque sorte que l'on peut dire qu'il s'agit là de notions normatives : d'abord parce que leur application dans un contexte particulier suppose la présence ou l'absence d'un processus d'industrialisation parvenu à un certain stade, ensuite parce que, ceci étant, ces notions prétendent cerner une distance par rapport à un stade particulier du processus d'industrialisation. Or, trop souvent l'estimation prétendument objective donnée dans un ensemble d'agrégats — qu'il s'agisse d'un produit national ou d'un taux de scolarisation d'une population — sert précisément à occulter le sens, la portée et la signification que revêt le terme de la comparaison.

Dans ce genre d'analyse, l'insistance mise sur des données chiffrées comparables permet de fonder des prédicats du genre « plus grand que », « plus petit que » ou « égal à » qui servent à légitimer des jugements moraux ou des préjugés de tout ordre à cause même de l'indétermination dans laquelle on maintient les termes de la comparaison.

L'économie libérale constitue le lieu par excellence du fonctionnement de ce paradoxe : cette approche est le lieu d'élection de l'élaboration de tout un ensemble de raisonnements inductifs qui s'ignorent dans la mesure même où ils sourdent des prédicats fondés sur des comparaisons chiffrées. Donnons un exemple simple du fonctionnement de ce paradoxe : la comparaison de deux croissances économiques permet de classer deux pays A et B où A est plus riche que B ; si, sur cette base, je procède à énoncer maintenant que A est plus développé que B, ce second raisonnement ne découle pas du premier, il s'infère simplement de ce que j'ai posé par ailleurs que « richesse » égale « développement », ou vice versa. Il y a donc une coupure entre les deux arguments, une coupure entre la comparaison qui est établie dans un premier temps et les énoncés qui sont tirés de la comparaison elle-même alors que sont occultés ou passés sous silence la fonction, la place et le rôle joués par l'un des termes de la comparaison, en général l'État le plus riche, le pays le plus développé dans les raisonnements énoncés par la suite. Ce sont là des comparaisons hautement normatives qui masquent parfois leur indétermination dans des prédicats qui prétendent à une objectivité et s'épargnent ainsi le travail de la démonstration des équivalences qui sous-tendent de tels discours et, en particulier, de l'équivalence en vertu de laquelle la richesse matérielle équivaut au développement économique d'une part, ou de l'équivalence en vertu de laquelle le développement économique entraîne de fait le développement social d'autre part.

Il est significatif à cet égard de relever que la théorie économique classique de même que la théorie néo-classique ne s'est, règle générale, peu ou pas préoccupée des questions relatives aux dimensions sociales de la croissance comme telle, se contentant plutôt de théoriser les conditions de l'accumulation des richesses. Cela est le cas, notamment, non seulement d'Adam Smith ou de Ricardo, mais également d'économistes marginalistes comme Stanley Jevons ou Alfred Marshall. Il reviendra au courant marxiste — et à Marx en tout premier lieu — d'investir dans les problèmes de développement et d'alimenter les débats sur la théorie et la pratique du déclenchement d'une croissance économique soutenue et sur les conséquences sociales de ces processus. Pour les classiques de l'économie, les avantages sociaux de la croissance allaient de soi ; c'est d'ailleurs pourquoi les économies libérales du XIXᵉ siècle repoussaient toute velléité d'intervention étatique consciente et universelle dans les processus économiques comme le proposaient les radicaux ou les socialistes. À cet égard il importe de ne pas sous-estimer l'acquis d'expériences soviétiques engagées dans les années 20 comme celle de la nouvelle économie politique, la N.E.P. puisque c'est, en définitive, à la suite de ces interventions « conscientes » dans un processus modelé jusque-là par les « lois » du marché capitaliste que les théoriciens non marxistes de l'après-guerre seront amenés à réviser les approches traditionnelles et à intégrer l'État dans leurs schémas d'analyse.

Il n'en demeure pas moins que, dans ce champ nouveau ouvert dans les démocraties occidentales par l'expérience, peut-être même par les déboires de la pratique de l'industrialisation sous l'égide de l'État en U.R.S.S., se conjuguent souvent de manière indissociable le maintien d'équilibres économiques et l'objectif du maintien d'équilibres sociaux de sorte que l'on n'arrive plus parfois à dissocier les stratégies d'accumulation pure et simple des mesures de contrôle ou de régulation sociales indispensables au déclenchement puis à l'approfondissement d'un processus d'accumulation de capital. C'est ainsi que, chez certains auteurs, malgré qu'ils utilisent des expressions comme celle de « développement social » ou de « maximisation de la croissance économique et sociale », ils n'entendent rien d'autre derrière ces termes que la mise en place d'un ensemble de mesures étatiques susceptibles d'augmenter le taux de profit du capital.

Si la généralisation de l'utilisation des notions de « croissance » et de « développement », dans leur acception économique est à peu près contemporaine de la naissance de cette science qu'on appelle « l'économie politique », par contre les efforts en vue de définir une problématique d'intervention publique ou étatique dans le processus même de la croissance économique remontent à une date beaucoup plus récente. L'on s'accorde, règle générale, pour faire remonter la pratique et la théorisation de l'intervention aux années de la crise de l'Entre-deux-guerres qui marque à la fois l'échec d'une stratégie d'industrialisation fondée sur la propriété privée et la vanité des théories en vertu desquelles l'on croyait pouvoir établir la justification de ces pratiques dans la rationalisation des comportements et des choix des producteurs et des consommateurs individuels. On a appelé « révolution keynésienne » cette redéfinition des objectifs sociaux de la croissance à laquelle devaient désormais contribuer les États eux-mêmes. Si, en effet, le pouvoir politique a toujours été de mèche avec les entrepreneurs et si l'industrie pour sa part s'est systématiquement, depuis ses tout débuts, appuyée sur le pouvoir politique — pouvoir de police et pouvoir des autorités locales notamment — ce qui change avec la « révolution keynésienne » c'est bien le niveau et le degré de compénétration qui sera visé. L'État, ce grand absent des théories classiques, l'État qui devait s'effacer afin de permettre aux « lois » de l'économie de fonctionner pleinement, se trouve désormais campé au coeur même de la théorie et de la pratique du capitalisme. C'est, dès lors, tout le mode d'industrialisation capitaliste qui se trouve à tenter de concilier la concurrence et la prévision dans l'espoir, en définitive, d'offrir une alternative viable à l'incroyable attirance qu'avait exercée et que continuait d'exercer — surtout à l'occasion de la Crise des années 30 — le mode d'industrialisation socialiste pratiqué en U.R.S.S. depuis la victoire des bolcheviks en 1917.

Il est donc significatif à cet égard que John Maynard Keynes s'applique, dans ses « Notes finales sur la philosophie sociale à laquelle la *théorie générale* peut conduire », à rappeler que :

> Bien que cette théorie montre qu'il est d'une importance vitale d'attribuer à des organes centraux certains pouvoirs de direction aujourd'hui confiés pour la plupart à l'initiative privée, elle n'en respecte pas moins un large domaine de l'activité économique. En ce qui concerne la propension à consommer, l'État sera conduit à exercer sur elle une action directrice par sa politique fiscale, par la détermination du taux d'intérêt, et peut-être aussi par d'autres moyens. Quant au flux d'investissement, il est plus probable que l'influence de la politique bancaire sur le taux de l'intérêt suffise à l'amener à sa valeur optimum. Aussi pensons-nous qu'une assez large socialisation de l'investissement s'avère le seul moyen d'assurer approximativement le plein emploi, ce qui ne veut pas dire qu'il faille exclure les compromis et les formules de toutes sortes qui permettent à l'État de coopérer avec l'initiative privée [4].

Il oppose à cette occasion les conséquences « à d'autres égards assez conservatrices » de sa théorie à un « socialisme d'État embrassant la majeure partie de la vie économique de la communauté », ajoutant : « L'État, n'a pas intérêt à se charger de la propriété des moyens de production[5] », comme cela s'était produit avec l'étatisation du salariat en U.R.S.S.

C'est dire l'importance de l'alternative ainsi proposée qui entendait explicitement soustraire à l'attirance du socialisme d'État les pays capitalistes en tablant sur le rôle central que jouerait dorénavant chaque État dans l'équilibre mondial et en s'engageant sur une voie propre à maintenir « le plein emploi au moyen de (sa) seule politique intérieure[6] ».

Malgré tout, c'est-à-dire malgré les distances prises à certains égards à l'endroit des approches « classiques » de l'économie politique — celles des marginalistes, en particulier — la théorie de Keynes se situe néanmoins dans le prolongement direct de ces analyses en ce qu'elle fonctionne essentiellement dans le court terme[7] d'une part, s'articule autour de la préoccupation constante du rétablissement de l'équilibre d'autre part. C'est pourquoi son opposition aux « classiques » ne s'élabore pas contre la notion d'équilibre comme telle, mais bien sur les moyens de le rétablir ce qui implique, évidemment, un renoncement « à la théorie du retour automatique et nécessaire à l'équilibre[8] » puisque c'est ici l'État qui impose ce retour à l'équilibre.

A cet égard, d'ailleurs, il importe de noter qu'avec cette prise en charge du rôle, de la place et de la fonction de l'équilibre économique par les États capitalistes, se trouvera ainsi enclenché tout un processus d'étatisation de l'économie nationale — une étatisation de la nation en quelque sorte — en même temps qu'est enclenché tout un processus de légitimation idéologique et politique de cet interventionnisme — c'est-à-dire une nationalisation de l'État en quelque sorte. Nous assisterons ainsi non seulement à l'extension sans précédent des fonctions économiques de l'État — étatisation des banques centrales, de certains monopoles de production comme les postes, les transports, etc. — mais également à l'extension des fonctions de contrôle économique, politique et idéologique — établissement des comptes nationaux, nationalisation des ondes, des corps policiers, de l'éducation, de la santé ou du chômage.

Dans ces conditions, l'État capitaliste, essentiellement préoccupé jusque-là « d'affaires extérieures » — guerres de conquête, colonisation et accords économiques en particulier — et d'ordre social interne, s'ouvre à une dimension « nationale » toute nouvelle et se trouve ainsi à devenir le lieu de l'articulation des rapports entre États sur le plan mondial et des contraintes liées à l'accumulation de capital sur le plan intérieur.

Peu de temps après, le démenti apporté à tout équilibre de court terme par le déclenchement de la Seconde Guerre en septembre 1939 attisera le besoin de travailler sur les « phénomènes de longue période » :

> Mais étudier la longue période, c'est dépasser les travaux scrupuleux des constructeurs de modèles et des économètres de notre temps. C'est revenir au domaine des recherches des premiers auteurs classiques du début du XIXe siècle, se demander si nos économies tendent à la stagnation ou au progrès, et de quoi dépend celui-ci ; c'est, comme eux, se pencher sur l'étude des structures et rechercher si le progrès implique un changement de celles-ci [9].

Paradoxalement, ce « retour » risque de faire ressurgir le vieux débat sur le statut scientifique de l'économie politique, que Gilles-Gaston Granger a précisé comme étant « une oscillation entre l'interprétation étroitement positive de l'économie... et l'interprétation qui en ferait essentiellement un art d'organiser et de dominer la production et la distribution des biens [10] ».

Si le souci marqué pour l'étude du long terme avec l'intention d'infléchir le « libre » fonctionnement des lois du marché afin d'alléger les contradictions sociales naît avec la Deuxième Guerre, il faut voir également que cette réorientation ne lève aucune des hypothèques qui pesaient sur les théories élaborées précédemment. Bien au contraire, la sortie du conflit passe par la reconversion des économies de guerre en économies de paix et, ici encore, seul l'État est en mesure de parfaire le processus.

Dans l'immédiat, deux « options » s'affrontent, capitalisme d'État et socialisme d'État, autour desquelles se déploient querelles d'interprétation et validations théoriques diverses qui ont beau jeu soit de relever les ressemblances — le recours à l'État — soit d'insister sur la différence — la propriété privée ou la propriété d'État.

C'est ainsi que la problématique du développement, à son niveau le plus théorique — c'est-à-dire en tant que produit de l'évolution de la pensée économique — se double d'un ensemble de pratiques économiques qui cristallisent deux « camps » qui sont autant de référents — plus ou moins conscients d'ailleurs — à partir desquels ces théories prennent sens et s'enracinent.

Les approches à l'étude du développement ont ainsi été amenées à souffrir de cette ambiguïté en vertu de laquelle elles servent souvent à légitimer le poids — social ou économique — de l'appartenance à tel ou tel « camp » ou à tel ou tel « bloc » et à illégitimer toutes les initiatives économiques ou sociales prises par l'un des partenaires du bloc adverse. Dans ces conditions, la critique qui pourrait ou devrait ouvrir la voie à une plus grande emprise sur le développement social lui-même bascule souvent dans l'apologie pure. Les travaux sur le « sous-développement » participent de cette ambiguïté fondamentale car dans la mesure où ils prennent acte du retard, ils versent ensuite dans la stratégie du rattrapage telle que définie et imposée par le recours à l'aide fournie ou imposée par le pays le plus puissant du bloc économique auquel on appartient. Et c'est ici que la comparaison dont il a brièvement été question plus tôt prend toute sa dimension paradoxale : en quoi et pourquoi la comparaison entre deux états de développement pourrait-elle ou devrait-elle conduire, chez celui que les termes de la comparaison défavorise, à se rapprocher — voire à accélérer le processus de rapprochement — de celui dont il dénonce la distance qu'il occupe dans l'échelle en question ?

Cette simple interrogation illustre à quel point les termes d'une comparaison strictement « économiciste » sont piégés et piègent les stratèges du développement dans une alternative qui n'en est pas une puisque, dans l'un et l'autre cas, il ne leur est demandé que d'aplanir les conditions nécessaires et suffisantes à l'enclenchement d'un processus de soumission à l'un ou l'autre mode d'industrialisation dominant. Capitalisme d'État et socialisme d'État se partagent ainsi le monde, pratiquement et théoriquement, alors que l'analyse de leur propre consolidation antagonique est complètement marginalisée.

Cette dichotomie cause un véritable « enfermement » sur eux-mêmes des deux processus de développement en présence, à savoir les modes d'industrialisation capitaliste et socialiste d'État, et sert ainsi à occulter non seulement les influences réciproques au niveau du recours à l'État et au plan, par exemple, mais — et surtout peut-être — les conditions sociales et économiques mieux, les coûts sociaux et économiques du maintien d'un équilibre social minimal à l'intérieur de l'un et de l'autre des blocs en présence.

En d'autres termes, la principale faille d'approches qui prônent l'adhésion à l'une ou l'autre alternative au développement telles qu'elles se posent et s'opposent à l'heure actuelle consiste à nier l'histoire de ces divers modes d'industrialisation d'une part, leurs influences réciproques plus ou moins occultes d'autre part, qu'il s'agisse du rétablissement des prix calqués sur les prix des marchés capitalistes en U.R.S.S. dans les années vingt ou du recours ponctuel à l'étatisation dans les économies libérales à la même époque, quand ces approches ne conduisent pas à une pure et simple marginalisation de l'étude critique de l'État.

Cette mise au rancart de l'histoire des théories et des pratiques d'étatisation avec leurs échecs et leurs succès entache la plupart des approches à ces matières de sérieuses limites et a pour effet premier de les ravaler au niveau des stratégies ou d'alternatives « objectives », ce qu'elles ne sont jamais. Les « choix » en matière de recours à l'État n'en sont pas véritablement ; il s'agit plutôt de rationalisations et de pratiques dans des conjonctures, rationalisations, pratiques et conjonctures qui devraient être appréhendées par un recours à l'histoire des rapports entre États ou au sein des États dans un contexte donné, seul recours qui permette de révéler les particularités socio-économiques propres à cette conjoncture historique spécifique et à révéler du même souffle, les coûts sociaux inhérents à l'une ou l'autre stragégie.

Néanmoins, et c'est là que réside la seconde limite à plusieurs approches à l'analyse des rapports entre l'État et le développement économique, à trop vouloir investir l'État national de la responsabilité de la mise en oeuvre ou de la relance du développement, on peut oublier le degré ou le niveau d'intégration d'une économie nationale à l'économie mondiale et l'histoire des rapports d'ordination et de subordination entre les économies, ce qui a de sérieuses répercussions non seulement sur le niveau de développement ou de croissance économique atteint ou visé dans un État particulier, mais également sur l'approfondissement des liens de dépendance entre les économies, entre les États.

En d'autres termes, la question des rapports entre l'État et l'économie est indissociable de la question des rapports d'échange entre économies, entre États.

Le problème de la finalité du développement : planification et démocratie

Pourquoi intervenir ? Pourquoi développer ? Pour qui intervenir ? Pour qui développer ? À la vérité, le problème ne se pose pas et ne s'est pas posé de manière aussi tranchée ; l'intervention ne suit pas l'absence d'intervention et même la théorie du « laissez-faire/laissez-passer » n'était pas autre chose qu'une validation d'une pratique bien spécifique d'accumulation et d'échange marchand capitalistes. À cet égard, il faut donc davantage circonscrire les diverses formes d'intervention en présence et c'est bien plutôt l'échec d'une pratique économico-politique individualisée à l'extrême qui est en cause et que l'on entend surmonter grâce, notamment, à la centralisation des interventions au sein de l'État dans l'économie nationale. Pour le meilleur ou pour le pire, cette centralisation s'est faite sous l'égide de l'État et elle a en particulier pris la forme de l'élaboration d'un plan de développement économique.

Dans ces conditions, la « science » ou la technique du développement ne se contentent pas de prétendre interpréter ou théoriser des faits, elle y procède en vue d'un objectif, ce sont donc des approches téléologiques, c'est-à-dire orientées vers la pratique, vers une finalité spécifique. L'appareillage

conceptuel dont elles se dotent vise dès lors à la fois une appropriation du réel — sa théorisation — et sa transformation
— l'intervention. C'est pourquoi, non seulement se posera ici
avec encore plus d'acuité qu'ailleurs le problème du sens et
de la portée des notions utilisées, comme nous l'avons relevé
antérieurement, mais aussi le problème du sens et de la
portée de l'unité de base à laquelle s'applique l'étude du
développement : la branche économique, le secteur, la zone,
la région, la localité, le pays ne sont pas des données « objectives », ce sont, toujours et partout des concepts qui influent
sur l'analyse même, sa démarche comme son contenu. Ici,
plus qu'ailleurs peut-être, les notions sont piégées de telle
sorte que, par exemple, la division d'un pays en dix provinces
ou d'une province en dix régions n'est pas une décision arbitraire ou « objective ». Les pays non plus que les régions ne se
découpent d'eux-mêmes ! De telles décisions, parfois politiques,
parfois bureaucratiques, toujours historiquement déterminées,
constituent un véritable quadrillage technocratique d'un terri-
toire ou d'un espace de telle sorte qu'à les prendre comme des
évidences ou des contraintes l'on se trouve de ce seul fait
à s'enfermer dans des logiques qui fondent ces découpages
et à ignorer, ce faisant, l'histoire même de ces divisions
et leurs significations diverses dans le maintien de certaines
exclusions, divisions, discriminations ou avantages dans le
présent.

Il importe ici encore de souligner que la validité de ces
cadres d'analyse doit constamment être vérifiée, comme l'ont
noté les auteurs d'une étude récente consacrée à l'étude des
taux de profit, « il est possible que les carences du cadre
d'analyse fournissent une explication de la divergence entre les
données statistiques et les arguments théoriques avancés [11] ».

Quoi qu'il en soit, et puisque la finalité de ces études vise
essentiellement à planifier le développement, c'est sur cet instrument que nous nous pencherons maintenant, dans la mesure
où c'est autour d'un objectif de cette nature qu'est susceptible
de venir se greffer une véritable démocratisation sociale, c'est-
à-dire, par voie de conséquence, une critique de l'État.

Le plan est un instrument à la fois politique et économique
d'intervention dans un réseau de rapports sociaux dont

l'objectif serait de mettre en relation les conditions économiques objectives et le bien-être d'une collectivité.

En tant qu'instrument ou en tant que moyen, le plan n'a pas de validité en propre sinon en fonction des objectifs politico-économiques visés et des moyens qui seront mis en place pour les atteindre. Ces moyens devraient donc être fonction des objectifs du plan.

Ainsi, la « cohérence (du plan) n'a de signification qu'à l'intérieur d'un cadre socio-institutionnel au sein duquel on a, *a priori* accepté de se placer [12] ».

La fonction première du plan est ainsi de favoriser la croissance économique, en la soustrayant, dans toute la mesure du possible, aux aléas du fonctionnement des seules « lois » du marché puisqu'une économie laissée aux prises avec la seule détermination des décisions individuelles prises par des entrepreneurs isolés pourrait être amenée à subir des déséquilibres entre les phases ou les secteurs de production, de même qu'entre production et consommation et, par conséquent, à pénaliser des classes plus ou moins importantes de citoyens.

Fondé sur l'hypothèse qu'une augmentation de la production entraîne nécessairement une augmentation de la consommation, le plan sera l'instrument qui régira la production dans son ensemble dans le but de stimuler une croissance économique continue et harmonieuse.

Le recours au plan est fondé sur l'axiome qui veut que les conditions de la production, en même temps que les conditions de la reproduction de la production, relèvent de lois économiques objectives et que c'est l'application de ces lois seule qui peut assurer une répartition « équitable » des produits. L'instrument privilégié est la comptabilité nationale.

> Les projections (du planificateur) s'effectueront dans le cadre de tableaux de comptabilité nationale dont il convient donc de reconnaître les conventions ; les recherches d'optimum auxquelles il pourra se livrer se situeront dans l'univers de la théorie marginaliste sous la forme élaborée que lui ont donnée les économistes du « Welfare » [13].

On distingue, règle générale, deux types de planification : la planification indicative et la planification impérative.

Le premier type désigne la planification élaborée en système capitaliste où les conditions de la production sont déterminées par les « lois » du marché, le second type, la planification pratiquée en économie socialiste où l'on cherchera à contrer les effets de ces lois et à imposer plutôt les priorités de l'État. Ainsi, dans le cadre d'une planification indicative, les planificateurs définiront des options ou encore des recommandations en matière, par exemple, d'investissements, tandis que la planification de type socialiste imposerait l'épargne et canaliserait l'investissement dans des branches déterminées de la production nationale.

Par ailleurs, la planification indicative sera dite plus ou moins démocratique selon que les agents économiques qui participent à son élaboration sont plus ou moins diversifiés ; dans certains cas, en Suède et, dans une certaine mesure, en Hollande par exemple, la planification résulte d'une concertation entre les trois « agents » principaux de la société : l'État, le patronat et les syndicats ; ailleurs, comme c'est le cas en France, la planification est effectuée par l'État et le patronat ; enfin, la planification indicative peut être élaborée par l'État seul, comme c'est le cas au Canada [14].

Dans tous ces cas, on aura affaire à un organisme de planification relevant directement ou indirectement de l'État ; la plus ou moins grande « démocratisation » dans l'élaboration des politiques de planification relèvera en fin de compte, non seulement de l'initiative des planificateurs eux-mêmes, mais du pouvoir d'intervention dont pourront disposer les « agents » économiques pour infléchir les options et recommandations de ces planificateurs.

Toutefois, en dernière analyse, la caractéristique principale de la planification indicative réside dans ce que les politiques élaborées ne sont pas imposées dans le secteur privé de la production, encore que l'État puisse, dans le secteur public et les secteurs étatisés, se conformer à la stratégie du plan et, par là, infléchir le développement et la croissance du secteur privé.

La planification impérative quant à elle relève ainsi d'une conception différente des rapports entre les fonctions respectives de la production et la répartition. Dans ces conditions, il faudrait réserver ce terme à un type de planification centralisée, sous le contrôle de l'État, planification dont les stratégies seraient nécessairement implantées dans une structure économico-sociale, par le pouvoir public.

Ce qu'il est essentiel de souligner ici, c'est que la planification impérative n'apparaît pas comme « l'envers » de la planification indicative, mais qu'elle se situe, en fait, dans un autre ordre d'idées. Ce qui constitue l'élément contraignant dans le second type par rapport au premier, c'est la place et l'importance qu'y détient l'État et seule en définitive l'analyse du contenu de ce pouvoir permet de révéler la fonction sociale des stratégies élaborées. Par ailleurs, cet « élément de contrainte » ne doit pas occulter les conditions sociales concrètes dans lesquelles le plan a été élaboré, c'est-à-dire le degré de participation ou de consultation populaire à l'occasion de l'élaboration des stratégies du plan. Il faut donc distinguer deux dimensions dans l'étude d'un plan, à savoir la consultation dont il a fait l'objet et son implantation en tant que telle.

Si nous reprenons maintenant la distinction entre planification indicative et planification impérative, afin d'étudier ses effets sur la production et la répartition, nous pourrons préciser la place que pourrait assumer une démocratisation sociale dans l'un ou l'autre contexte.

La problématique centrale qui sous-tend la planification indicative est fondée sur la loi de l'optimum économique. En ce sens, la planification indicative recouvre une « contrainte » spécifique à savoir la nécessité de maintenir des rapports de production et d'assurer la reproduction de cette production à une plus grande échelle afin d'accélérer le processus d'accumulation de capital.

Cette stratégie a pour effet de porter à un autre niveau, celui de l'État-nation, la nécessité de la production en vue de l'accumulation. Dans cette perspective, les agents économiques n'interviendront qu'au niveau des conditions de la production d'ensemble et continueront de s'opposer au niveau des modalités de la répartition des produits.

Au point de départ, rien ne s'oppose à ce qu'une planification dite « impérative » soit fondée sur cette même rationalité bien que la définition d'une stratégie de rattrapage économique ou encore la nécesité de stimuler l'augmentation de la production, conduise plus souvent à dissoudre toutes les formes d'opposition sociale aux objectifs du plan dans un seul objectif économique, celui de la croissance de l'État et quels que soient par ailleurs les coûts sociaux de cette contrainte.

Les qualificatifs « indicatif » et « impératif » appliqués à la planification apparaissent dès lors ambigus, puisque l'élément fondamental de la planification repose sur les conditions mêmes de la production à partir desquelles le plan en question est élaboré. En effet, que le pouvoir public, par le biais de l'État, accepte implicitement la loi de l'optimum économique assumée par les entreprises, ou qu'il impose cette loi aux entreprises dans sa stratégie du développement économique, cela ne constitue pas une différence essentielle susceptible de permettre de distinguer deux types de planification contradictoires.

La double question qu'il faut alors poser pour justifier un recours à la démocratisation du développement économique et social est la suivante : comment et pour qui sont définies les relations de production et quelle serait la nature d'une planification qui intégrerait les contraintes sociales et économiques d'une production orientée désormais vers la maximisation d'un bien-être social et non plus strictement économique ?

Nous pourrions alors distinguer sur le plan strictement théorique maintenant entre deux autres types radicalement différents de planification : d'une part, celle où les conditions de la production sont données comme des conditions objectives liées à l'accumulation et où la répartition n'a pas à intervenir dans ces conditions de production, mais tout au plus fonder un partage des produits, c'est la planification de type capitaliste ou celle propre au socialisme d'État ; d'autre part, une planification qui corrigerait la répartition du pouvoir social de manière à orienter la production en fonction d'une répartition égalitaire du produit social, c'est la planification à la fois socialiste et démocratique.

Ces deux types apparaissent effectivement contradictoires l'un par rapport à l'autre puisque les premiers fondent la répartition sur la croissance, alors que le second fonde la croissance sur la répartition, sur une répartition à la fois économique et politique définie socialement, définie démocratiquement. « Qui en réalité fait le plan ? Qui choisit sa structure ? Au bénéfice de qui est-elle conçue et rectifiée [15] ? » deviennent dans ces conditions des questions clés.

Si la croissance économique est donnée par la science économique comme un procès d'accumulation fondé sur des lois économiques, il n'en demeure pas moins que la rationalité de ce procès n'est pas induite, mais appartient à des agents économiques :

> Un investissement qui induit d'autres investissements se fait dans des conditions telles que sa rentabilité isolée, patente et immédiate égare sur ses effets sociaux [16].

Ces agents, à leur tour, se retrouvent dans des relations de propriété ou de non-propriété les uns par rapport aux autres, de telle sorte que l'apparente rationalité de la croissance pour la croissance fonde déjà un certain rapport d'appropriation des produits, une certaine répartition de ce que les Américains appellent la « social pie ».

Dans cette mesure, aucune planification ne saurait être sociale, c'est-à-dire élaborée en fonction des besoins et aspirations de « l'ensemble » d'une société qui ne remettrait pas en cause la « rationalité » de la croissance ou du développement capitaliste ou celui du socialisme d'État. Le point central de cette remise en question doit être recherché dans les rapports de propriété tels qu'ils sont établis dans une société, qu'il s'agisse de propriété privée ou de propriété publique, rapports qui définissent et déterminent à la fois les conditions de la répartition des pouvoirs dans la société. Le seul critère à retenir devrait être en définitive celui qui fait état des conditions concrètes dans lesquelles s'instaurent les rapports de production et de répartition, soit les modalités sociales de la préparation, de même que l'implantation du plan.

C'est ainsi qu'à la rationalité de la croissance pour la croissance il faut en substituer une autre qui puisse prendre en compte les conséquences sociales de la croissance ou ce que l'on nomme encore « les effets sociaux négatifs » de la croissance. Mais, bien plutôt que d'une prise en compte, c'est en définitive d'un pur et simple renversement de raisonnements dont il est ici question, car prendre en compte des effets sociaux négatifs ce n'est pas suffisant ; il ne suffit pas, en d'autres mots, de pouvoir prévoir ces effets sinon de les intégrer dans la démarche dès le point de départ pour en alléger les conséquences si faire se peut, pour les éliminer au mieux.

Cette démarche socialiserait d'entrée de jeu aussi bien le mécanisme de la prévision que celui de la consultation et permettrait de poser démocratiquement les modalités sociales d'un contournement des contraintes économiques brutes avec leurs effets sociaux apparemment imprévisibles.

Mais il ne faut pas se laisser abuser par les termes : il ne s'agit pas de substituer à une technique une autre technique, de remplacer une technique apparemment impersonnelle par une manipulation sociale d'un nouvel ordre, sinon de remettre en cause les nécessités de la croissance économique et de battre en brèche la stratégie du court terme elle-même pour poser au contraire la nécessité sociale et la rationalité dernière du temps consacré à développer les tenants et aboutissants sociaux d'une planification, du temps consacré à consulter les intervenants dans une planification sociale démocratique — parce que le facteur central dans une planification de cet ordre c'est bien le temps, un temps passé à éduquer, à former, à faire prendre conscience, un temps perdu sur le plan strictement économique, vénal ou plus platement bureaucratique, qui est un temps gagné sur les plans individuel et social. Dans ces conditions, la planification risque moins de fonder de nouvelles appropriations mais risque peut-être de conduire à une mise en disponibilité des ressources économiques au service d'un développement social.

Une telle pratique s'avérerait tôt fondamentalement subversive à tel point d'ailleurs qu'il serait utopique de penser qu'elle puisse être unilatéralement implantée de haut en bas. Elle ne saurait, en d'autres mots, être enclenchée par l'État et ses institutions sinon être arrachée par la base justement, être institutionnalisée par en-dessous en quelque sorte pour se confronter à l'État.

Entre État et démocratie sous cet angle encore, il y a antinomie. Moins antinomie dans les termes, qu'antinomie dans les pratiques. L'État, cette entreprise de la nation avons-nous dit, n'est démocratique que formellement dans le mesure même où la logique du développement de l'État contemporain l'a conduit à prendre en charge les contraintes sociales inhérentes à l'accumulation de capital.

Paradoxalement ici, au passage, cette prise en charge par l'État, cette « révolution par l'État » a pu être donnée et perçue comme un progrès, comme une démocratisation, tout simplement parce que, dans la mouvance du report à un plus haut niveau des contradictions sociales liées à l'accumulation capitaliste, ou à l'accumulation socialiste, la bureaucratisation a pu déplacer pratiquement et politiquement au niveau national le lourd contentieux de la croissance capitaliste.

C'est maintenant qu'apparaît plus clairement, aussi bien dans la société capitaliste que dans la société socialiste, la nécessité de battre en brèche la logique étatique si l'on entend casser une croissance capitaliste ou une croissance socialiste de cet ordre.

Contrer cette logique, c'est s'opposer à l'État, plus spécifiquement, c'est battre en brèche la bureaucratisation des contradictions sociales enclenchée par l'État c'est, en définitive, opposer la socialisation du processus de la production aux nécessités de la croissance de la production industrielle.

Planifier, dans ces conditions, c'est d'abord et avant tout construire une contre-planification, développer une contre-science, susciter l'émergence et la convergence d'un nouveau « désordre » économique.

Ni l'Ouest capitaliste, ni l'Est soviétique n'offrent à cet égard de solution de rechange. Là où on étatise, il faut socialiser et démocratiser même si l'idée d'une planification strictement économique s'éloigne : c'est soumettre les structures plutôt que de consentir à enfermer les pratiques dans des schémas.

Plus spécifiquement d'ailleurs, ce ne saurait être ni une manipulation des prix, ni même la mise sur pied d'un nouveau « calcul économique et social [17] » qui pourraient lever les hypothèques qui pèsent sur le socialisme démocratique mais, plus concrètement, la subversion de la rationalité économique elle-même. Au lieu d'envisager une fausse libération du travail manuel, c'est d'une universalisation des tâches « basses » qu'il est question, d'une mobilité nécessaire et absolue. Alors, loin de faire reposer sur les épaules d'une seule classe la production de la richesse collective, il faudrait généraliser l'implication économique indispensable à l'accumulation des richesses afin de permettre de partager également et équitablement le temps non productif, qu'il s'agisse du travail domestique, de travail social ou de pouvoir politique. Non pas concentrer les tâches manuelles sur le dos des ouvriers et des femmes, mais instaurer un partage de ces tâches au sein de l'entreprise et de la famille, un partage susceptible d'égaliser le temps de travail intellectuel, d'égaliser aussi la consommation et, le cas échéant, le temps de loisir.

Notes :

1 *Cf.* Sartre, « La notion classique de progrès ...suppose une ascension qui rapproche indéfiniment d'un terme idéal », in *Situations III*, Gallimard, p. 53.

2 Ce qui n'empêche pas que, pour certains, dans l'ordre des causalités, le « profit d'entreprise (soit) l'élément essentiel du progrès » ainsi que le rappelle Gaston Leduc dans la « Préface » à l'ouvrage de W. Arthur Lewis, *La Théorie de la croissance économique*, Payot, 1967.

3 Encore que l'on ait tendance aujourd'hui à établir une différence de degré entre les deux termes. Ainsi, la notion de croissance renverrait à un processus simple d'augmentation de quantités — de marchandises et d'argent — alors que celle de développement renverrait à un processus plus complexe de croissance qui aurait des effets sur une structure économique. À la limite, pour Celso Furtado par exemple, « le concept de développement contient l'idée de croissance, mais il la dépasse, car il se réfère à l'accroissement d'un ensemble de structure complexe » (*Cf. Théorie du développement économique*, Paris, P.U.F., 1970, p. 13).

4 John M. Keynes, *Théorie générale de l'emploi, de l'intérêt et de la monnaie*, (1936), Paris, Payot, 1968, pp. 386-391.

5 *Idem*, pp. 391-392.

6 *Idem*, p. 395.

7 Sur le débat à savoir si cette approche est plutôt statique que dynamique, on pourra consulter Emile James, *Histoire de la pensée économique au XXᵉ siècle*, 2 volumes, Paris, P.U.F., 1955, pp. 452 et *sq.*

[8] *Idem*, p. 453.

[9] *Idem*, p. 575.

[10] Gilles-Gaston Granger « Épistémologie économique » *in* Jean Piaget (sous la direction de) *Logique et connaissance scientifique*, Paris, Gallimard, Col. « Encyclopédie de la Pléiade », 1969, pp. 1019-1055.

[11] Alain Chavelli et Michel Rainelli : « Uniformisation des taux de profit et hypothèse sectorielle » *in Cahiers de l'économie politique*, P.U.F., n° 4, 1977, pp. 131-162.

[12] Guy Caire : *La Planification*, Éditions Cujas, Paris, 1967, p. 15. Davantage, pour certains théoriciens comme Philippe Herzog (*Politique économique et planification en régime capitaliste*, Paris, Éd. sociales, 1972, pp. 272-275) le Plan monopoliste est un leurre dans le mesure même où le patronat ne saurait voir dans ses objectifs « l'instrument capable d'orienter le développement des entreprises » (citant le C.N.P.F., p. 271). À cet égard, il n'y aurait de Plan véritable — malgré ses failles et les limites de son application — que dans les pays socialistes actuels. Ce qui est peut-être vrai, mais, là-bas le Plan ne reflète que les objectifs du Parti qui contrôle l'État ; sa dimension, sa portée et surtout sa légitimité sociale n'ont d'autres bases que celle-là.

[13] Guy Caire : *op. cit.*, p. 18.

[14] Sur les diverses modalités de consultation et techniques d'intervention, on pourra consulter Andrew Shonfield, *Le Capitalisme d'aujourd'hui. L'État et l'Entreprise*, Paris, Gallimard, 1967.

[15] François Perroux, *L'Économie du XXe siècle*, P.U.F., Paris, 1969, p. 297.

[16] *Idem*.

[17] *Cf.* la démarche proposée par Charles Bettelheim, *Calcul économique et formes de propriété*, Maspéro, 1970.

L'individu, la famille,
l'entreprise et l'État

Le moins que l'on puisse imputer aux Révolutions américaine et française c'est la reconnaissance de principe et l'établissement des droits des individus, des citoyens. Et ce que l'on peut, de la même manière aussi générale, imputer comme progrès à la Révolution russe, c'est une certaine prise en compte de droits collectifs.

Droits individuels d'un côté, droits collectifs de l'autre, le problème de l'alternative entre les deux régimes à l'heure actuelle tels qu'ils se disputent l'hégémonie à l'échelle de la planète, laisse complètement ouverte la question du caractère essentiellement formel de la reconnaissance de ces droits de part et d'autre. Paradoxalement, l'individu n'est pas moins isolé ou réprimé ici que la classe n'est exploitée ou divisée là-bas.

Pratique et théorie du libéralisme, pratique et théorie du socialisme d'État, semblent se renvoyer dos à dos. Or, ce n'est pas le cas parce que si la classe sociale n'a aucun statut théorique ou politique dans les démocraties constitutionnelles, l'individu y est tout autant divisé sur lui-même et isolé des autres qu'il pouvait l'être il y a cent ou cent cinquante ans. Et, dans le même ordre d'idées, pour avoir gagné un statut politique et idéologique dans les démocraties populaires, la classe ouvrière n'y dispose dans les faits·d'aucun pouvoir, tout comme l'individu n'y jouit, en définitive, d'aucun droit.

Évoquer dès lors que l'un et l'autre systèmes constituent la somme fermée des pratiques sociales et individuelles possibles, c'est basculer à un niveau totalement surréaliste, l'éventualité même de l'émergence d'une troisième voie. L'enjeu de la démocratie, emprisonné dans les carcans des institutions existant réellement à l'Ouest comme à l'Est n'ouvre plus que sur le mythique, la désespérance ou la révolte pour la révolte.

C'est dire à quel point une théorie de la démocratie nous fait défaut, à quel point les sciences de l'État sont et demeurent hégémoniques, à quel point la critique de l'État s'est enlisée.

Afin de parvenir à éclairer quelque peu ces zones d'ombre, il nous apparaît qu'un traitement du problème de l'oppression des femmes et de « l'enfermement » des enfants et des adolescents dans les sociétés capitalistes avancées pourrait s'avérer révélateur, et révélateur en particulier au-delà de la survivance d'une situation objective spécifique, d'une problématique ou d'une approche prétendument scientifique qui cantonne plus de la moitié de l'univers dans un état social et civil donné. Ici, l'État, le droit, les sciences économique et juridique, les institutions et les discours s'articulent de manière tout à fait intime pour légitimer et réprimer. Il reste à savoir comment et pourquoi. Il reste à voir surtout quel éclairage ce genre d'enjeu jette sur la question qui nous préoccupe, celle de la validation d'une alternative de démocratisation sociale à la fois égalitaire et anti-étatique.

Avant d'aller plus loin, indiquons que nous étudierons l'infériorisation de la femme telle qu'elle a cours présentement au sein de l'institution familiale. On peut toujours envisager cette oppression dans d'autres contextes où la famille conjugale fixée par le droit civil n'existe pas, mais cette exploitation n'aura pas les mêmes caractères, ni les mêmes formes juridique et idéologique qu'elle emprunte dans la société capitaliste développée.

La question de la démocratisation et de l'universalisation des droits des individus s'est posée jusqu'à maintenant de manière passablement abstraite, un peu comme si, entre l'individu et l'État, il ne subsistait aucune médiation. Dans ces conditions, nous venons de l'illustrer dans le chapitre précédent, la question de fond se résoud dans une opposition entre des logiques où il s'agit d'opposer à une croissance de type capitaliste ou de type socialiste d'État un développement social.

Or, dans les faits, la question ne se pose ni ne s'est posée de manière aussi courte. L'individu qui n'est qu'un sujet de droit dans l'État est plutôt « quelqu'un » que « personne » dans une société, tout comme l'on dit, en langage courant, qu'il y a quelqu'un à la maison, ou qu'il n'y a personne à la maison.

C'est ainsi que tout en étant sujet de droit, un individu est père, mère, fils ou fille de quelqu'un... ou de personne, car c'est aussi un statut social que d'être bâtard.

À leur tour, ces rôles ou ces statuts, ces qualités en tout cas, n'existent pas dans l'abstrait, elles fonctionnent dans des institutions comme la famille ou l'entreprise.

Par ailleurs, avant d'avoir recours au droit de propriété, au contrat, l'individu est soumis à une circulation sociale et économique spécifique qui réglera sa position objective par rapport à la circulation des patrimoines, la consommation et la production des biens et des services. L'institution qui régit et régente la production marchande dans la société, c'est l'entreprise.

Entre la famille et l'entreprise traditionnelle, il n'y a que des chômeurs et des rentiers, c'est-à-dire des individus qui n'ont aucun travail, les vagabonds, les immigrants et des apatrides c'est-à-dire des individus qui n'ont pas de patrie, tandis qu'au-delà de la famille conjugale et de l'entreprise se développent de nouvelles unités de consommation ou de nouvelles unités de production, auxquelles s'apparentent les ménages unisexués ou célibataires, les entreprises de sous-traitance sans salariés véritables, etc.

Même si les questions relatives aux libertés civiles et à la démocratie sont en général posées à partir d'individus abstraits, il faut insister sur le fait que les individus ne sont en contact direct avec l'État que de manière exceptionnelle quand ils comparaissent devant les tribunaux, qu'ils sont tenus au service militaire ou soumis au système pénitentiaire en particulier. Dans les autres cas, le rapport entre l'État et l'individu passe par la médiation d'institutions qu'il s'agisse de la famille, de l'entreprise, il passe également par les bureaucraties. C'est peu dire que de dire qu'à l'heure actuelle l'espace de la production, de la consommation et des échanges est à toutes fins pratiques complètement quadrillé par le réseau de ces institutions sociales.

Toutefois, de toutes ces institutions, il en est deux qui priment les autres dans la société civile : la famille et l'entreprise sont en effet les deux lieux où l'individu passe le plus de temps, connaît — en temps normal — le plus de joies ou de drames, perd ou gagne le plus de temps, le plus d'argent.

Si la famille et l'entreprise sont les deux piliers de l'État, il faut aller plus loin que ce strict énoncé banal et lapidaire permet de le faire et démêler maintenant les grandes lignes des rapports que ces deux institutions entretiennent entre elles.

La famille conjugale

Il est « théoriquement » inexplicable que l'institution familiale n'ait pas bénéficié, au même titre que l'entreprise capitaliste, de l'attention des chercheurs, des philosophes et des critiques dont les approches ont façonné les quelques grandes écoles de pensée qui dominent la scène intellectuelle et politique contemporaine.

Ce qui ne veut pas dire que ce thème ait été ignoré, loin de là. Cela veut plus simplement dire que l'analyse de la famille conjugale n'est pas partie intégrante de ces démarches totalisantes, ce qui est déjà une indication que ces totalités-là sont au fond partielles et partiales alors que certains auteurs au XIXe siècle avaient déjà montré qu'il existait de profondes différences entre les prolétariats français et américain en particulier puisque les seconds disposaient de droits importants, comme le droit de vote, et qu'ils avaient plutôt tendance, à cause d'un niveau de vie plus élevé, à constituer des familles conjugales contrairement à l'ouvrier français que l'insécurité et les bas salaires contraignaient soit au célibat, soit au concubinage. En effet, cette institution, dans les formes qu'on lui connaît aujourd'hui, est inséparable de la constitution d'un mode de travail particulier, le travail salarié engagé dans un lieu — dans un espace — spécifique, celui de l'entreprise capitaliste.

On a parfois tendance en effet, à faire de la famille une institution éternelle, fondamentalement nécessaire et immuable alors qu'elle n'a pas plus de pérennité — sous sa forme juridique actuelle toujours — que n'en a l'entreprise capitaliste : la famille conjugale est façonnée par et reproduit les contradictions propres à l'entreprise capitaliste. Dans la mesure où l'entreprise monopolise le processus de la production matérielle vénale, la famille s'est trouvée à hériter de toute la production matérielle « hors commerce ». Dans la mesure où l'entreprise fonctionne strictement au salariat, la famille fut ainsi contrainte de fonctionner avec des rétributions d'un autre ordre, affectives, morales ou idéologiques de sorte que, en définitive, le temps de travail qui y était dépensé n'était pas mesurable au même titre que le temps dépensé dans la production capitaliste. Et comme, en stricte théorie marxiste notamment, la plus-value se calcule sur la base d'un taux d'exploitation mesurable en termes de salaires et de profits, il s'ensuit qu'il n'y aurait pas d'exploitation là où la mesure est inapplicable. Or, deux éléments doivent être posés à ce stade-ci : *premièrement*, dans la mesure où l'« enfermement » opéré par l'entreprise capitaliste arrache les individus à un mode de production antérieur pour en faire des unités comptables, il s'ensuit que l'institution familiale s'est trouvée à assumer les contrecoups d'une telle spécialisation de l'univers productif ; *deuxièmement*, la nature des contradictions ainsi prises en charge par la famille fera évoluer l'institution familiale vers de tout autres fonctions par rapport à celles assumées par le passé.

La conséquence première de ceci est que l'univers du travail se trouve brisé et, en particulier, la rupture entre un travail mâle et un travail femelle, consacrée.

Il est assez étonnant, et tout à la fois révélateur, de rappeler que certaines parmi les premières revendications du mouvement ouvrier naissant à la fin de XVIIIe ou au début du XIXe siècle en particulier se feront contre le travail des femmes et des enfants. Ainsi, un voyageur aux État-Unis au début du XIXe siècle rapporte :

> Aussi est-il excessivement rare qu'il surgisse entre la société et la classe ouvrière aucune collision ; cependant j'ai été témoin d'une ou deux circonstances dans lesquelles une certaine partie de la classe ouvrière refusa de travailler si on ne faisait droit à ses réclamations : le premier cas c'était la classe des tailleurs à Philadelphie, qui demandait que les femmes ne fussent pas chargées de la confection des pantalons, partie de travail qui appartenait de droit à leurs professions, tandis que les femmes pouvaient trouver d'autres emplois par leur industrie... Dans (ce) premier cas, un arrangement à l'amiable fut conclu entre les maîtres et les ouvriers [1].

À la même époque, dans un cahier de doléances soumis au gouvernement en France, les ouvriers font valoir contre l'invention et l'usage des machines à peigner la laine que celles-ci ont « pour effet de réduire la main-d'oeuvre de la manière la plus inquiétante... (U)ne seule machine, surveillée par une personne adulte et servie par quatre ou cinq enfants, fait autant de besogne que trente hommes travaillant à la main selon l'ancienne méthode [2] ».

Il faut bien évidemment rendre justice à tous ces auteurs radicaux comme Hodgkins et, plus tard, Engels et Marx pour avoir violemment dénoncé l'exploitation des femmes et des enfants dans les manufactures capitalistes et pour avoir montré comment le patriarcat avait conduit dans certaines circonstances à jeter sur le marché du travail femmes et enfants [3].

Dans ces conditions, la revendication de certains ouvriers à l'effet de vouloir arracher femmes et enfants à cette exploitation était une revendication hautement progressiste et éminemment humanitaire tout à la fois, sans compter qu'elle doublait sur leur propre terrain tous ces « pharisiens » qui voyaient dans le travail des jeunes enfants soit un exemple de l'indomptable sauvagerie ouvrière, soit une bénédiction du Ciel pour tenir les enfants loin des tentations et de la criminalité dans lesquelles s'enlisaient immanquablement leurs géniteurs, quand ce n'était pas les deux à la fois. Si, comme le note Marx, « ce sont les ouvriers mâles qui ont forcé le capital à diminuer le travail des femmes et des enfants dans les fabriques anglaises », il devait en résulter une profonde « féminisation » de tout le travail hors commerce, en même temps que l'on assistait à une « masculinisation » du travail salarié. Dans ces conditions, la femme et l'enfant sont libérés de la dictature de la fabrique pour passer sous la puissance paternelle : ils ne subiront plus directement les affres de l'oppression capitaliste mais, directement les affres de la domination du mâle.

Comme l'ont montré les théoriciens de l'École de Francfort dans le collectif publié sous la direction de Horkheimer en 1936[4], la famille s'inscrit dès lors et depuis lors dans une chaîne d'autorité visant très précisément le maintien de la stabilité de l'État capitaliste et d'un ordre social bourgeois d'où il résulte que l'État met tant d'efforts à imposer et à faire respecter par la classe ouvrière une formule juridique très spécifiquement bourgeoise dans sa nature, sa légitimation et ses fonctions économiques, en particulier.

En effet, en inscrivant la famille dans une chaîne d'autorité verticale qui s'échelonne depuis l'État, en passant par l'entreprise, jusqu'à cette cellule de base, on se trouve alors à hiérarchiser, du coup, l'homme, la femme puis les enfants sur ce modèle et, ce faisant, l'on escamote complètement le rapport latéral en quelque sorte entre entreprise et famille, entre travail salarié et travail domestique, entre la fonction « libératrice » du salaire et la fonction « libératrice » — pour celui qui ne s'y adonne pas — de la dépense de travail domestique. Il n'est dès lors pas surprenant de voir l'approche verticale ou hiérarchique à l'étude de la famille être prise en charge par les théoriciens de l'autoritarisme et du conservatisme. À l'opposé, vouloir étudier la famille en vase clos, isolée de tout, centrée sur la fonction de reproduction et l'amour maternel c'est l'envisager comme un rampart « contre l'assaut de l'autoritarisme[5] », et manquer l'occasion de la situer dans la chaîne de la contestation de l'ordre établi.

Entre ces deux démarches, entre l'intégration de la famille aux nécessités de la croissance de l'État d'une part, et l'étude de la famille en tant que véritable isolat social d'autre part, il y a cette nécessaire jonction entre famille, entreprise et État qui s'offre comme alternative théorique et pratique, approche qui permet de saisir les contradictions qui agitent la famille en tant que prolongement de contradictions sociales d'un autre ordre, qui permet surtout de saisir le sens et la portée des pressions qui s'exercent sur la désintégration de la famille et de repérer les forces en jeu dans la recomposition de nouvelles formes de cellules familiales.

L'on ne peut à cet égard ni suivre Rudolf Bahro qui refuse de voir dans la famille conjugale autre chose qu'un lieu vide, ni Agnès Heller et Ferenc Feher qui passent complètement par-dessus la survivance de la famille bourgeoise et de sa fonction dans la répartition des biens et des pouvoirs pour annoncer l'émergence d'une cellule déjà adaptée ou adaptable à l'universalisation des fonctions de l'État social actuel [6].

À partir du moment où la Révolution industrielle enferme le travail dans la manufacture, plus tard dans l'usine, ce simple fait ne pouvait pas ne pas avoir de conséquences insignes sur l'institution familiale. La première conséquence, c'est qu'en enfermant le travailleur à l'usine, elle verrouille la femme à la maison de sorte que la séparation des sexes s'articule désormais sur une séparation fondamentale dans les travaux, entre le travail productif rémunéré d'une part, le travail domestique de l'autre. Davantage, au coeur même de cette rupture, c'est tout le statut de l'enfance puis de l'adolescence qui se trouve également chambardé de sorte qu'à l'apprentissage de naguère au travail familial auquel sont soumis les enfants, se substitue désormais une éducation en complète séparation d'avec le monde adulte et un monde adulte fermé à l'enfance et à l'adolescence. La seconde conséquence, c'est que le travail salarié, le travail rémunéré prend la préséance sur tous les autres travaux, basculés dorénavant au niveau du non-économique, de l'« in-théorisable » ; ces autres travaux sont engagés pour des considérations et des rétributions d'un autre ordre, morales, éthiques, affectives bref, idéologiques et psychologiques. L'ouvrier devient une machine vénale, un fabricant de sous-réifié de sorte que la totalité de l'humain se trouve circonscrit au foyer. Pire, de sorte que toutes les contradictions sociales, affectives ou psychologiques de la réification des milieux de travail ne connaîtra pas d'autre exutoire légal que l'institution familiale elle-même. Le drame social de l'industrialisation se trouve ainsi déplacé et répercuté sur le plan familial et seule la transgression animée par le mouvement ouvrier portera les revendications qui contribueront quelque peu à civiliser la dictature de l'usine et à libérer la famille ouvrière de la dictature du dénuement.

Mais en attendant le bouleversement du rapport salarial, en attendant ces concessions patronales qui contribueront à atténuer les conséquences individuelles et collectives de l'universalisation de l'exploitation capitaliste, c'est encore et toujours la famille qui subit les contrecoups de l'implantation de cette logique acquisitive.

Il n'est dès lors pas étonnant que la famille ouvrière ait une propension à la désintégration que la famille bourgeoise ne subit pas avec la même permanence, avec la même acuité. La famille bourgeoise, ce maillon dans la chaîne de la circulation des patrimoines et des individus, s'ouvre sur une autre dimension, celle de la consommation des produits et des biens culturels alors que la famille prolétarienne se trouve, à cause de ces manquements mêmes, n'être qu'une caisse de résonnance où insécurité, ignorance et désespoir se conjuguent plus intensément.

Aborder l'analyse de la famille sans prendre en compte cette contradiction fondamentale entre classes, c'est mésestimer de manière grossière les prolongements interindividuels et sociaux inévitables de l'exploitation capitaliste et se refuser, par la même occasion, la possibilité de saisir la nature des antagonismes qui surgissent dans l'un ou l'autre contexte et qui affectent la femme du prolétaire et sa progéniture de manière fondamentalement différente par rapport à leurs effets sur la bourgeoise et ses surgeons.

Une illustration et une démonstration fort convaincantes de ceci ont été effectuées il y a déjà un certain temps par Émile-Henri Agier [7]. Le niveau de revenu, l'absence de mobilité, l'aliénation totale, quand ils affectent l'ouvrier ont des conséquences troublantes non seulement sur les rapports entre conjoints, mais bien évidemment sur les rapports entre adultes et enfants. Dans ces conditions, non seulement les rapports entre époux sont-ils objectivement pervertis mais, de surcroît, la sensibilité et l'émotivité des enfants s'en ressentent.

Cela n'implique nullement que la famille bourgeoise échappe à de telles pressions puisque cette institution participe également des contradictions et « enfermements » propres à la civilisation matérielle mais il subsiste ici, à tout le moins des possibilités objectives d'échappatoires qui sont susceptibles de fonder une harmonie interindividuelle entre parents et une véritable libération de forces vives propre à soutenir la fantaisie, la créativité et la rêverie auprès d'une enfance privilégiée, ce qui n'est évidemment pas le lot du fils ou de la fille du prolétaire ou du chômeur. Une leçon de piano, de ballet ou de diction, suspend au moins provisoirement un effet dislocateur que rien ne vient tamiser dans une famille ouvrière.

C'est dire que si l'oppression de la femme et l'« enfermement » des jeunes au foyer puis à l'école sont des conséquences du capitalisme, confirmées plus tard par l'implantation d'un socialisme d'État, l'effet et les modalités de fonctionnement de cette contradiction diffèrent radicalement selon les classes. Parler alors de l'institution familiale dans l'abstrait pour hypostasier ce pilier de la société et de la stabilité sociale, c'est refuser de confronter l'idéal au réel, ce réel qui varie selon la position objective des cellules familiales dans l'économie, le droit et la culture.

Une lecture par excellence simpliste de la critique marxiste du capitalisme consiste à voir dans l'émergence et la formation du mouvement ouvrier à l'époque, l'expression d'une volonté prolétarienne déjà orientée vers le renversement du capitalisme. Or, nous venons de le voir, ces revendications ouvrières ont eu plutôt une double conséquence : *premièrement*, de « sexiser » le travail productif en général et le travail salarié manuel en faisant une activité mâle par excellence et, *deuxièmement*, de sexiser le travail domestique et d'isoler l'enfant.

Que cela ait été « progressiste » dans le contexte c'est indéniable, mais cela contribuait à asseoir et à approfondir le développement capitaliste et universalisait la forme juridique de la famille conjugale bourgeoise au lieu de contribuer à un éventuel renversement du capitalisme et à jeter les bases d'une socialisation de toutes les tâches manuelles. Bien au contraire, cette stratégie, inscrite dans les limites à la fois théoriques et critiques de ce temps-là, contribuera précisément à éloigner le travail salarié du travail domestique et, par conséquent, à séparer l'homme de la femme d'une manière tout à fait originale. Or quand, progressivement, à l'occasion des guerres surtout, ou à cause du manque de main-d'oeuvre masculine, la femme réintégrera la marché capitaliste du travail, loin d'être résorbée, cette contradiction n'en sera que multipliée et tendra à raffermir plutôt qu'à disloquer le recours à l'institution familiale conjugale avec, maintenant, en plus de l'isolement de l'enfant, la marginalisation complète des inactifs et des vieux, et l'émergence de la double exploitation subie par la femme à la fois salariée et domestique. Quand cela n'aura pas pour conséquence d'institutionnaliser la cellule unifamiliale où la femme porte seule le fardeau de l'éducation et de la responsabilité des enfants.

Cet effritement des rapports individuels s'accompagne d'une prise en charge par l'État des fonctions auparavant assumées avec plus ou moins de bonheur dans le cadre de la famille élargie. Si cette fuite en avant dans la responsabilité étatique peut apparaître comme un progrès par rapport au recours à la responsabilité individuelle où, en définitive, le sort des individus se réglait sur les modalités d'exercice des pouvoirs et obligations du chef de famille, il faut voir qu'il s'agit d'un dédouanement moral à bon compte. La responsabilité de l'État dans ces cas-là ne sert qu'à confirmer l'emprise de la bureaucratie sur tous les aspects, sur toutes les phases de la vie civile, elle n'a en tout cas rien à voir avec une espèce d'accroissement de la conscience collective, non plus d'ailleurs qu'avec un élargissement ou un approfondissement d'une évanescente conscience sociale. Parce que c'est là que loge le fond de la question : d'« enfermement » en « enfermement », de spécialisation en spécialisation, l'individu n'est pas libéré pour se compromettre davantage et étendre son implication vis-à-vis des autres, mais bien au contraire, pour s'isoler encore et toujours davantage, pour se verrouiller sur lui-même en quelque sorte et consommer loin des affres de sa vie professionnelle.

L'on aboutit ainsi au paradoxe d'une idéalisation de la liberté qui n'est rien d'autre que la faculté de consommer tranquillement alors que l'État, ce non-être par excellence, assume toutes nos responsabilités collectives depuis la naissance jusqu'à la mort, en passant par l'école, l'usine, la prison, la bureaucratie et la résidence pour vieillards. Dans ces conditions, l'aliénation issue des rapports capitalistes de travail et dénoncée par les premiers socialistes s'est trouvée multipliée et a envahi tous et chacun des recoins de la vie civile, et même les progrès réalisés avec la socialisation des fonctions productives, au lieu d'ouvrir sur la croissance de la socialité, ont au contraire contribué à accroître l'isolement. L'intervention de l'État, le recours à l'État, loin de marquer le passage du déraisonnable et de l'arbitraire au raisonnable et à l'ordonnancement, marque plutôt l'inexorable gonflement d'une méconscience ou d'une inconscience collective. Faute de socialiser, faute de démocratiser véritablement les pouvoirs sociaux, faute, en d'autres mots, d'augmenter la conscience individuelle et son inévitable prolongement dans une conscience sociale, l'État et le droit s'édifient et croissent là où nos responsabilités s'arrêtent. Et puisqu'il n'y a pas de limites objectives à l'égoïsme en dehors de ce que nos aveuglements coûtent, il n'y a pas de limites à l'extension de l'État en dehors de notre capacité collective de payer pour cela.

L'alternative ne réside dès lors pas dans un retour en arrière, cette solution fausse qui escamote complètement toutes les causes qui ont pu conduire à la situation actuelle, mais elle appartient plutôt à l'émergence et à l'institutionnalisation d'une conscience collective contre l'État.

De quoi est-il alors question, concrètement? Il est question de valider et d'assurer la survie de toutes les formes de regroupements sociaux susceptibles d'assumer des responsabilités sociales tout en évitant aussi bien les carcans politiques et économiques propres aux institutions traditionnelles d'un côté, et la pure et simple prise en charge par l'État, de l'autre côté. Nombre de ces initiatives existent déjà et, malgré leur extrême fragilité, elles ouvrent la voie vers une transformation sociale originale qui n'a rien à voir avec les schèmes dominants et les divisions bureaucratiques existantes. Qu'il s'agisse de regroupements autonomes de chômeurs, de sociétés d'adoption, d'écoles coopératives, de maisons de transition pour ex-détenus, de nouvelles formes de vie familiale et, en général, des formes plus sociales et responsables de production de biens et de services, ces initiatives marquent très spécifiquement ce qu'il faut entendre par un regain de conscience collective hors des normes tracées par le profit, ou celles imposées par les bureaucraties. Ce qui ne veut pas dire que le phénomène soit nouveau ou récent, bien au contraire ; ce qui ne veut pas dire que la voie soit ouverte encore qu'on en ait saisi le tracé, pas du tout.

Peut-être même, tout compte fait que, pour assurer l'universalisation de telles pratiques, il faudrait envisager des bouleversements politiques que l'on n'est pas en mesure d'imaginer dans les circonstances présentes où prédominent le profit, l'État et le mâle qui les féconde.

Notes :

1 Guillaume Tell Poussin, *De la puissance américaine*, 2 vol., Paris, W. Coquebert, éditeur, 2ᵉ éd., 1843, pp. 407-408.

2 Cité par Claude Fohlen et François Bédarida, *L'Ère des révolutions (1765-1914)*, tome 3 de L'*Histoire générale du travail* (sous la direction de Ls.-H. Parias), Paris, Nouvelle Librairie de France, 1962, p. 29.

3 *Cf. La Situation de la classe laborieuse en Angleterre* (1845), Éditions sociales, 1960 ; et, *Le Capital*, Livre I, Éditions sociales, 1954, par exemple, tome 2, pp. 78-86 qui traitent du travail des femmes et des enfants.

4 *Cf. Autorität und Familie, Studien aus dem Institut für Sozialforschung*, Paris, Librairie F. Alcan, 1936.

5 *Cf.* Joseph Kirk Folsom, *The Family and Democratic Society*, N.Y., John Wiley and Sons, 1943, p. 251.

6 *Cf. L'Alternative*, Stock, 1979, et *Marxisme et démocratie*, Maspéro, 1981.

7 *Cf. La Désintégration familiale chez les ouvriers*, Neuchatel, Delachaux et Niestlé, 1950.

Conclusion

L'espace de la démocratie pourrait se caractériser comme une radicale remise en cause théorique et empirique des réseaux de pratiques officialisées et des institutions établies qui les portent. Qu'il y ait à ce niveau, plus ou moins formel, des acquis à consolider ne doit pas minimiser le fait que cet espace s'ouvre sur la vision d'un monde à bâtir et de pratiques à inventer. Pour paraphraser Maurice Blanchot, il s'agit là de « tout ce qui conduit les hommes à ménager un espace de permanence où puisse ressusciter la vérité, même si elle périt. Le concept est l'instrument dans cette entreprise pour instaurer le règne sûr [1] », pour instaurer ce règne qui, au-delà des pratiques qui ont actuellement cours, ouvre sur une liberté qui accroît l'implication et la responsabilité au lieu de s'y dérober.

C'est alors d'une inversion théorique et pratique qu'il est question : le socialisme n'est jamais démocratique en soi, mais l'implantation d'une démocratie sociale effective passe par une forme quelconque de socialisme, en tout cas par une socialisation véritable et non pas par cette désimplication universelle institutionnalisée qu'est l'État.

Au-delà d'une substitution de termes ou de concepts, c'est un déploiement sur le sens et la portée des pratiques libératrices dans un contexte social donné qu'il s'agit d'enclencher et de fonder ici et maintenant. Dans ces conditions, la démocratie et la démocratisation sont des prérequis à un enveloppement plus large, sociétal et politique, de pratiques démocratiques qui pourraient alors être initiées grâce à l'instauration du socialisme. Le socialisme n'est pas une fin et la démocratie une stratégie ou une tactique pour y parvenir, mais à l'inverse, c'est la socialisation des rapports sociaux qui devrait être un moyen d'instaurer le règne de la démocratie, si l'on entend par là une répartition égalitaire du pouvoir dans la société.

Or, pour les « soucieux socialistes » la question de la démocratie ne se pose pas, elle est toujours déjà inscrite dans leurs plus ou moins bonnes intentions du simple fait que les pratiques socialisantes sont toujours a priori plus démocratiques que celles des bourgeois ou des capitalistes. Si l'on pose en effet que toutes les pratiques libérales sont par essence antidémocratiques tout ce qui s'y oppose est forcément démocratique. Cette équation est théoriquement et politiquement intenable et conduit dans les faits à des sabordages tragiques de pratiques libératrices — aussi fragmentaires ou parcellaires soient-elles — durement conquises dans des contextes spécifiques. Par ailleurs, prolonger ou reconstruire un espace de la démocratie ne se fait pas avec l'État mais contre l'État ; l'État est fondamentalement totalisant, potentiellement totalitaire de sorte que la démocratisation doit toujours lui être arrachée et qu'un contre-pouvoir social quelconque est essentiel pour que l'État lui-même maintenant respecte ces garanties démocratiques et ces libertés fondamentales qui lui ont été arrachées de haute lutte. Sans ce contre-pouvoir, sans une forme de contre-institutionnalisation de l'exercice de droits et de responsabilités démocratiques dans la société, il n'y a de démocratie qu'en paroles pas en actes. Il ne subsiste avant comme après qu'un État libéral ou un État socialiste, ce qui n'a plus rien à voir avec l'instauration d'une socialisation véritable par quoi devrait se caractériser une soi-disant démocratie socialiste.

Quand nous avons circonscrit l'une des deux dimensions de l'État en referant au concept d'État par opposition aux institutions ou aux appareils d'État, nous n'avions pas évoqué les questions qui nous retiendront maintenant, à savoir les questions afférentes à la souveraineté, à la légitimité et à la responsabilité des individus et des groupes.

En effet, ce qui caractérise par excellence l'État et l'oppose à ce titre à toutes les autres institutions de la société, c'est la souveraineté, entendant par là que l'État est en quelque sorte l'institution suprême, l'institution des institutions, l'institution au-dessus des institutions. Les appareils mêmes de l'État sont soumis à la souveraineté de l'État : on appelle « administratif » le droit qui les régit par opposition au droit constitutionnel qui ne concerne que l'État et les modalités d'exercice du pouvoir d'État au sens strict.

Dans le même ordre d'idées, l'État est théoriquement toujours légitime du seul fait qu'il existe tandis que tel ou tel organe d'État, telle institution peut, théoriquement, être illégitime ou illégitimée dans un contexte particulier sans entacher la légitimité de l'État lui-même.

Il n'y a dès lors pas de place dans ce genre de théorisation pour la reconnaissance de pratiques démocratiques souveraines et responsables. L'État et le droit participent d'un ordre qui exclut le recours à cet irrationnel plus ou moins calculable, qu'est la validation des pratiques sociétales et qui fait appel à l'intégration de critères sociaux justement dont il n'est question que de manière toute incantatoire dans l'État.

L'État est ordre et croissance, le droit, mieux la loi, établit les modalités du maintien de l'ordre et de la croissance économique et sociale dans l'État. La boucle est bouclée qui isole la science juridique d'une science politique où l'on disputera plutôt des régimes politiques grâce auxquels sont définis et légitimés la répartition des rapports de pouvoir au sein des sociétés.

Cette limitation est inscrite dans ce type de démarche. En demeurant à un niveau aussi abstrait, l'on convient de ne faire intervenir que plus tard les questions de souveraineté collective, de responsabilité collective ou de légitimité collective.

Il en va ainsi surtout de la responsabilité : l'individu est responsable, un corps public, une entreprise ont des responsabilités « limitées », l'État est responsable en vrac de tout et de rien. En droit britannique ou d'inspiration britannique, « the Queen can do no wrong ».

L'État s'est ainsi historiquement trouvé investi des privilèges des Souverains de jadis dont la personne était « sacrée » en droit. L'État est à la fois hypostase et matérialisation, l'État est une laïcisation du Roi.

Mais, loin d'assister ici à une transformation conceptuelle, à une substitution de la raison royale par la raison tout court, c'est sur une idéalisation d'un citoyen abstrait que l'on débouche.

L'homme abstrait et la liberté effective

On ne peut pas ne pas être frappé par le traitement que l'on accorde à l'homme en philosophie et en théologie, jusqu'à Marx en tout cas.

Les penseurs qui traitent l'homme et traitent de l'homme au cours de l'histoire et jusqu'à la publication du *Manifeste communiste* en 1848, font référence à une abstraction, à un être complètement désincarné. Cet être est mortel et raisonnable, à la limite, il est citoyen ; d'ailleurs, certains philosophes, de nos jours encore, ne parlent même plus de l'homme, de la femme, de l'enfant ou de l'adolescent, mais de l'être tout court, cette catégorie bizarre qui n'est plus rien, ni personne.

Marx, parmi d'autres mais avec plus de vigueur et de rigueur, arrache cet homme du royaume de l'abstraction et de l'éternité et l'enferme dans son histoire. Sur les cendres de cet homme-là, renaît le citoyen et le non-citoyen ; sur ce terrain-là, il y a d'un côté des bourgeois, de l'autre des prolétaires. On ne dira jamais assez, même s'il en avait déjà été question de manière toute générale ou abstraite auparavant, on ne dira jamais assez à quel point cette inscription d'une humanité dans un réel historique était véritablement révolutionnaire, théoriquement et pratiquement, au sens le plus plein du terme. Il n'y a pas d'homme, il y a des hommes qui vivent, luttent et s'affrontent. L'égalité ou la liberté n'est pas une donnée naturelle, philosophique ou théologique, que l'on peut découvrir dans l'essence de l'être, elle est à construire, à édifier.

Au point de départ les hommes ne sont pas égaux, ils ne sont pas libres, ni en droit, ni en économie, ni en fait, ni en loi. Ils ne sont point non plus inégaux ou enchaînés naturellement, ils le sont historiquement et dans la société civile bourgeoise en particulier, cette inégalité est inscrite dans le régime de la propriété privée, la circulation des patrimoines et le travail salarié, toutes institutions qui modèlent une répartition du pouvoir absolument contraignante. Dans ce monde-là, il n'y a pas d'hommes abstraits sinon des individus propriétaires et jouissant de droits alors que d'autres n'ont en main que la « libre » disposition de leur « puissance travailleuse ».

Il ne faut pas minimiser ce bouleversement, mais il ne faut pas le sacraliser non plus puisqu'une fois le chemin ouvert qui allait permettre une certaine réconciliation entre le monde des idées et celui de la contingence, tout n'était pas dit. Il restait et il reste encore d'autres individus dont les conditions ne sont pas prises en charge ni par la théorie, ni par la pratique, c'est le cas en particulier des femmes et des jeunes. Il reste encore, en d'autres mots, à saisir d'autres inégalités réelles et à mettre en application des stratégies et des mécanismes visant à permettre à ces personnes de se libérer.

Que Marx ait saisi sous une première dimension ces hommes de chair et d'os ne doit pas nous conduire à illégitimer cette percée sous prétexte qu'il ne soit pas allé plus loin. Une certaine bonne conscience théorique à l'heure actuelle se réclame précisément de ces limitations dans la pensée de Marx et Engels pour illégitimer l'ensemble de la démarche socialiste et renouer plutôt avec toutes ces thèses abstraites de naguère qui visaient à imposer les vaporeuses considérations sur l'homme en général, cet être désincarné qui est à la fois sujet de droit et jouet de la Providence. Cette voie-là est piégée et a historiquement contraint toute une classe, tout un sexe et toute une génération à refuser la critique du capitalisme, pour se jeter dans le gouffre de la répression socialiste.

À l'encontre de ces démarches qui font les belles heures des réflexions des philosophes contemporains qui glosent sur la notion d'un être abstrait essentiellement tragique et conditionné, d'êtres absolument égaux dans l'absolu, il faut poser et reposer le problème du statut juridique, économique, politique et sexuel de ces hommes, de ces femmes et de ces enfants engagés dans la production sociale d'une existence déterminée qu'ils entendent modifier afin précisément d'éventuellement instaurer sur terre le règne de l'égalité et de la liberté.

Cet homme-là ou cette femme-là sont des citoyens d'un État, ils sont propriétaires ou locataires, rentiers ou salariés, actifs ou inactifs, civils ou militaires. Mais, au-delà de cet assemblage de statuts les plus divers, ils se regroupent objectivement en classes, en sexes ou en catégories d'âge. Ces individus n'ont pas les mêmes droits, ne les auront jamais dans un système social donné qui est le nôtre de sorte que, pour instaurer une égalité effective, c'est ce système et les institutions qui le portent qu'il faut chambarder.

Marx et Engels ont tracé une voie que l'on ne peut plus éviter d'emprunter sous peine de revenir en arrière, mais ils n'ont évidemment pas tout dit — ç'aurait été absurde d'ailleurs de leur part de prétendre l'avoir fait. Ainsi Jean-Paul Sartre, parmi d'autres, a relevé que Marx et les marxistes après lui traitent l'homme et le prolo comme s'il n'y avait ni passé de l'homme, aucun antécédent du prolo, ils les traitent en adultes et l'enfance n'a pas de place dans ce système de pensée. C'est dire, pour reprendre la métaphore de tantôt que, si la voie est ouverte, elle n'est nullement toute tracée.

Il ne peut donc s'agir, sur la base de ces lacunes, de rejeter la classe et les conflits de classes pour établir désormais une manière d'anthropologie sociale rivée dans des affrontements entre les sexes ou dans des affrontements entre les générations puisqu'une telle approche qui dénierait à la classe sociale sa place politique et sa pertinence théorique ne parviendrait pas à saisir les fondements sociaux concrets de ces confrontations « nouvelles ».

Il ne peut s'agir non plus de ranger tranquillement ces contradictions au niveau du secondaire, de l'épiphénomène qui se résorbera d'emblée, par magie, dans un socialisme étatique. Au contraire, le socialisme « réellement existant » s'avère tout aussi mâle, chauvin et écrabouilleur d'adolescents que le capitalisme le plus libéral peut l'être. La femme et l'adolescent n'ont pas plus de statut là-bas qu'ils n'en ont ici : tout au plus leur demande-t-on en individus responsables qu'ils sont censés être, de maintenir l'équilibre de la domination qui s'exerce sur eux. Or, si le prolétaire sans sexe d'hier, et la salariée d'aujourd'hui ont la mission historique de changer l'entreprise et le travail, la femme et l'adolescent devraient pouvoir assumer la responsabilité de changer la famille conjugale et le travail domestique et ce, non pas sur la base du cas par cas et de la révolte isolée comme cela doit nécessairement se produire dans les circonstances présentes, mais sur la base d'une « révolutionnarisation » de l'institution familiale elle-même. Et c'est alors que la femme et l'adolescent prendraient conscience et devraient prendre en compte que la famille bourgeoise ne se transforme pas en dehors de la société bourgeoise mais qu'au contraire l'un et l'autre enjeux sont intimement liés.

Isolée dans son foyer, la femme se résoud par trop fréquemment à instaurer une stabilité factice qui a pour fonction d'isoler l'institution familiale des contraintes sociales. Pourtant celles-ci perdurent et s'appesantissent de telle sorte que la famille en vient souvent à être cette arrière-scène sur laquelle se jouent de manière toute méconnaissable les drames de la société civile : à la fausse froideur des relations capitalistes de travail correspond l'échauffement des relations familiales où la colère et les explosions caractérielles servent à la fois de révélateur et d'exutoire des conflits sourds qui agitent les protagonistes en tant que salariés ou en tant que chômeurs.

Penser changer l'entreprise et le rapport salarial c'est envisager également de modifier la famille conjugale puisque, en dernière instance, la raison première et dernière de la remise en cause du salariat vise à briser l'isolement entre travail salarié et travail domestique. Nous sommes loin ici de ces thèses idéalistes qui voyaient plutôt le relâchement du lien salarial comme une ouverture sur le temps mort, sur le loisir, de sorte que le salarié dont le temps de travail se rétrécit, puisse à sa guise se métamorphoser en « bon père de famille » tout entier engagé dans l'exploitation de sa femme et la répression de ses enfants.

C'est pourquoi il y a quelque chose d'éminemment utopiste dans la thèse d'André Gorz intitulée bizarrement *Adieux au prolétariat*[2]. Parce qu'il ne s'agit pas de mettre tout bonnement la classe ouvrière en pénitence de travail manuel salarié dans une « sphère de l'hétéronomie », pour en tant qu'intellectuel, avoir « l'autonomie » ou la liberté de s'adonner à autre chose, à sa femme et à ses enfants, à ses loisirs. La liberté et l'égalité sont des enjeux qui valent pour tous à tous les instants et pas seulement pour ceux qu'un système social privilégie déjà et qui peuvent alors en toute magnanimité faire bénéficier leurs propres dépendants de leur plus grande disponibilité. C'est oublier que le prolo aussi a une famille et qu'il devrait pouvoir établir des rapports interpersonnels harmonieux et égalitaires. Concentrer sur lui toute la peine, c'est le contraindre à une existence familiale pénible non seulement pour lui, mais pour ses dépendants également : il n'y a d'autonomie possible qu'au-delà du nécessaire. Pas plus que l'individu n'échappe à sa classe sociale, la famille ne peut s'y soustraire. Isoler le monde du travail salarié avec son exploitation, son oppression et ses contraintes, de la famille ou de la souveraineté individuelle, c'est renouer avec une vision naturaliste, strictement égocentrique des rapports entre les sexes et entre les générations, c'est, en d'autres mots, masquer l'extraordinaire transparence entre les deux « sphères » ou entre les deux courants de la vie sociale et les influences réciproques qui les modèlent et structurent les comportements des individus qui en font partie.

Le prolétaire salarié ne subit aucune métamorphose en entrant chez lui, en réintégrant son foyer, c'est le même homme. Il en va de même pour la femme.

Réconcilier l'individu avec sa classe sociale ou, vice versa, réconcilier une forme de libération collective avec la souveraineté des individus implique moins la reconnaissance objective de la division entre le privé et le public que la mise en place de mécanismes de transferts d'un secteur à l'autre. Faute de quoi la coupure risque fort d'alourdir le poids du capitalisme au lieu de l'alléger et d'enfermer encore davantage l'autonomie individuelle dans la stricte consommation la plus passive des biens et services produits.

Il n'est dès lors pas étonnant d'ailleurs que Gorz se rabatte ensuite sur l'État pour valider la distanciation entre le privé et le public — ce qu'il appelle les « sphères » de l'autonomie et de l'hétéronomie respectivement[3]. Notre propre démarche s'inscrit ainsi en faux contre cette vision d'un État qui serait au-dessus des libertés et des souverainetés, qu'elles soient individuelles ou collectives.

Contrer l'État équivaut dès lors à chercher à inventer des modes de passage d'une sphère à l'autre.

C'est la première dimension d'une libération au sein de la société civile que l'on peut envisager dans un nouvel espace de la démocratie, l'autre concerne l'État, ce sur quoi nous nous attardons maintenant.

Espace de la démocratie ou quadrillage bureaucratique

Depuis Périclès, Lincoln et Churchill, les plus belles envolées oratoires autour de la notion de démocratie passent par la forme littéraire de l'oraison funèbre prononcée dans les cimetières où reposent les victimes de guerre.

Le mot a un sens véritablement mythique ; il porte avec lui la promesse d'un véritable paradis social. C'est un des maîtres mots d'ailleurs sur lequel s'appuie le « mythe de la cité idéale[4] ». Mais si, aussi bien le Président des États-Unis d'Amérique que le Secrétaire général du Parti communiste de l'U.R.S.S. peuvent s'en réclamer, c'est que quelqu'un ment quelque part.

Nous avons eu l'occasion de le souligner, cette indéfinition ou cette polysémie se retrouve quasi systématiquement dans la plupart des études ou des analyses consacrées à la démocratie, voire dans les travaux portant sur de tout autres institutions dont on dit, pour les avaliser, qu'elles sont démocratiques, ou dont on dit, pour les illégitimer, qu'elles ne le sont pas.

Cette indétermination masque d'ailleurs de véritables manipulations politiques ; ainsi en va-t-il d'une institution démocratique que l'on soutient de manière à en cacher une autre, encore plus démocratique, ou moins d'ailleurs selon les cas, et

l'on pourrait à ce sujet énoncer que le recours à une démocratisation formelle ne sert tout au plus qu'à maquiller un pouvoir
ou une institution autoritaire. C'est en effet une certaine institutionnalisation de la distribution du pouvoir dans la société qui
bloque la germination de pratiques nouvelles de libération. Il
y a dès lors deux types de démarches et de pratiques tout à fait
différentes que l'on regroupe sans les distinguer sous le vocable « démocratie » : une approche institutionnelle justement,
qui caractérise par excellence toutes les variantes du réformisme et les initiatives spontanées, voire la transgression pure
et simple.

Selon la première approche, il sera question de faire cheminer la revendication démocratique dans le cadre des institutions existantes : c'est la voie légale ou légaliste à l'amélioration ou à la démocratisation des normes et des cadres sociaux,
c'est, en d'autres mots, la voie réformiste. Selon la seconde
approche, il s'agira de briser des institutions, des cadres et des
normes, c'est la voie révolutionnaire qui englobe aussi bien le
geste isolé de l'individu révolté que la revendication de masse,
plus proprement révolutionnaire, au sens classique du terme.

Sur cette toile de fond se rejoignent tous et chacun des régimes en place à l'heure actuelle en ce sens que tous, à des degrés
divers, intègrent une part plus ou moins importante de réformisme mais tous, de manière absolue cette fois, condamnent
et répriment la transgression.

Au fur et à mesure que les institutions en place se sclérosent, il n'est nullement étonnant de voir que l'espoir se trouve
déporté au niveau de la transgression aux dépens du recours
à l'implantation des pratiques réformistes, et la part de responsabilité dans ce déplacement est moins imputable à l'individu
contestataire ou à ceux qui prennent en charge les revendications des groupes exploités qu'à une certaine distribution du
pouvoir qui concentre progressivement toute la légitimité et
toute la souveraineté entre les mains de quelques-uns aux
dépens du plus grand nombre.

C'est pourquoi nos sociétés si libérales et si démocratiques
sont constamment en instance de transgression, pourquoi les
coûts du maintien de l'ordre politique et social grimpent
sans cesse, pourquoi notamment le refuge croissant dans la

criminalité est une des modalités d'expression propres à certaines franges de cette société.

La solution envisagée dans le cadre de l'État est simple : davantage de réglementations, davantage de législations qui, à leur tour, supportent l'extension des bureaucraties. Pourtant, c'est précisément la multiplication des réglementations qui appelle la multiplication des transgressions. Tous et chacun des individus dans nos sociétés sont, à quelque moment que ce soit, passibles d'une offense quelconque ; il est en effet en pratique tout à fait impensable de respecter toutes les lois, à tous les moments, il est même exclu de les savoir toutes !

La sanction relève alors du plus pur arbitraire policier et bureaucratique, car c'est en effet la bureaucratie qui prend ici la relève des transgressions qui relevaient auparavant de la seule criminalité et qui institue tout un nouveau réseau de réglementations civiles cette fois. En ce sens, la bureaucratie prolonge l'armée et la police et implante un ensemble de normes civiles qui contribuent à maintenir et à intensifier l'ordre social propre à un régime politique donné. Ainsi, tout à fait à l'encontre de ce qu'avançait parmi d'autres Max Weber au début du siècle, la bureaucratie ne porte pas une rationalité pure *sine ira et studio*, c'est-à-dire sans colère et sans passion, détachée des contingences sociales et des intérêts contradictoires des groupes qui s'affrontent dans la société civile, la bureaucratie impose au contraire un ordre bureaucratique, multiplie les lieux d'intervention et les réglementations. La bureaucratie est, par nature, le prototype du pouvoir antidémocratique ; forgée sur le style des armées dont elle est en quelque sorte la transposition politique dans la sphère administrative, elle s'appuie sur un État fort, sur des lois cadres pour étouffer toute ressurgence d'un pouvoir populaire un tant soit peu démocratique.

La bureaucratie ne fonctionne ni à la rationalité, ni à « l'absence d'idéologie » puisqu'elle valide un type de hiérarchie et qu'elle impose l'ordre là où s'affrontent des intérêts contradictoires dans la société civile. En fait et en droit, la bureaucratie prolonge et hypostase le désordre en transposant les conflits sociaux dans un inextricable fouillis de réglementations qui servent à gérer le désordre plutôt qu'elles ne servent à éteindre des foyers de discorde. Pas étonnant alors que la solution bureaucratique soit la panacée des pouvoirs institués dans l'entreprise, dans l'État, voire même dans les syndicats.

À cet égard, nous nous détachons de manière radicale des approches qui se contentent d'appréhender la bureaucratie comme une construction ou un échafaudage aberrant dans la mesure même où la solution bureaucratique n'est pas que l'expression passive d'un État détourné de ses fins sociales essentielles. L'État libéral ou l'État prolétarien sans bureaucratie n'est plus un État car la bureaucratie non plus n'est pas qu'un instrument, c'est un mode administratif de répartition du pouvoir politique : l'armée des fonctionnaires double l'armée tout court dans le maintien de l'ordre civil d'une part, tandis que les pouvoirs dont disposent les bureaucrates sont ceux dont ne jouissent pas les citoyens d'autre part.

Ainsi, la question du dépérissement de l'État nous oblige, en tout premier lieu, à affronter le problème de l'élimination de la bureaucratie. Mais si débureaucratiser la société politique ne fait qu'enclencher un retour en arrière sur la base du renforcement des institutions traditionnelles, l'entreprise et la famille notamment, c'est enfermer la société dans les formes corporatistes ou autoritaires les plus réactionnaires, revendications qui ont fait les beaux jours du fascisme et du nazisme. Il ne saurait absolument pas être question, sous prétexte de contrer un ordre, d'asseoir un « ordre nouveau » traditionnel, sinon d'ouvrir sur une redistribution du pouvoir politique entre les mains de ceux qui en sont privés, que ce soit dans les entreprises ou dans les familles, que ce soit auprès de ceux que ces institutions excluent.

Bouleversement d'une tout autre nature qui appelle au premier chef à l'édification de critiques des pouvoirs en place, de tous les pouvoirs en place. À cet égard, une théorie de la démocratisation nous fait actuellement tout à fait défaut de sorte que les pratiques populaires ou individuelles effectivement contestataires sont plus souvent qu'autrement étouffées et illégitimées par la droite comme par la gauche patentée avant même d'avoir vu le jour ou d'avoir pu faire leurs preuves.

Pourtant, la revendication révolutionnaire classique n'est ici d'aucun secours dans la mesure où elle substitue à cet

« opium du peuple » qu'est la religion ce qu'un auteur américain a appelé, parlant de la révolution, l'« amphétamine des
intellectuels [5] ». C'est en effet un tragique spectacle que nous
offrent ces moments de tiraillements aigus qui n'émergent que
sur la consolidation d'une caste aux idées « justes ».

Car c'est précisément sur l'impérieuse nécessité de valider
des pratiques démocratiques susceptibles d'accroître la responsabilité et la souveraineté collectives dans nos sociétés que se
fonde tout espoir d'élargir l'espace de la démocratie et celui de
battre en brèche un jour la domination de l'État. Et ce n'est
pas la revendication, d'un ordre nouveau, abstrait et immatériel qui porte cette crédibilité. Le problème du chambardement
des sociétés est alors tout autant individuel que collectif ; quant
à savoir s'il est révolutionnaire ou pas, la question demeure en
suspens. Une chose est certaine pourtant, la démocratisation
ne saurait s'accommoder des carcans existants et de ceux
qu'impose l'État, n'importe quel État, en tout premier lieu.

L'espoir repose dès lors concrètement sur les syndicats, les
groupes populaires, les nouvelles formes de contestation et toutes ces revendications qui cheminent péniblement dans les
mailles du capitalisme ou celles du socialisme contre la solution
bureaucratique.

Notes :

[1] *Cf. L'Entretien infini*, Gallimard, 1969, p. 46.

[2] Stock, 1980, pp. 127 et *sq.*

[3] *Idem*, pp. 149-170.

[4] Pour reprendre le titre de l'ouvrage de Roger Mucchielli, P.U.F.,
1960.

[5] *Cf.* J.H. Billington, *Fire in the Minds of Men. Origins of the Revo-
lutionary Faith*, Basic Books, 1980, p. 8.

Bibliographie sommaire

ARON, Raymond, *Essai sur les libertés*, Le Livre de Poche, 1976.

BADIE, Bertrand et BIRNBAUM, Pierre, *Sociologie de l'État*, Paris, Grasset, 1979.

BERNSTEIN, Eduard, *Evolutionary Socialism* (1906), N.Y., Schocken Books, 1961.

BLOCH, Ernst, *Droit naturel et dignitié humaine*, Paris, Payot, 1976.

BURDEAU, Georges, *La Démocratie*, Seuil, 1966.

BURDEAU, Georges, *L'État*, Seuil, 1970.

CASTODIADIS, C., *L'Institution imaginaire de la société*, Paris, Seuil, 1975.

CHAKHNAZAROV, Georgü K., *La Démocratie socialiste: questions de théorie*, Moscou, Éditions du Progrès, 1974.

CHKHIDVADZE, V.M. (compilateur) *The Soviet State and Law*, Moscou, Progress Publishers, 1969.

COLLETTI, Lucio, *Le Marxisme et Hegel*, Paris, Éditions Champlibre, 1976.

COMMONS, John R., *Legal Foundations of Capitalism*, (1924), A.M. Kelley Publishers, 1974.

DAWSON, R. MacGregor, *Democratic Government in Canada*, Toronto, U. of T. Press, 1963.

FRIEDRICH, C.J., *La Démocratie constitutionnelle*, Paris, P.U.F., 1958.

GARCIA, Antonio, *Dialéctica de la démocracia*, Bogota, Cruz del Sur, 1971.

GODWIN, William, *Enquiry Concerning Political Justice*, (1798), Pelican Books, 1976.

HABERMAS, Jürgen, *Connaissance et intérêt*, Paris, Gallimard, 1976.

HELLER, Agnès et FEHER, Ferenc, *Marxisme et démocratie*, Paris, Maspéro, 1981.

JACOBY, Henry, *La burocratización del mundo*, México, Siglo XXI, 1972.

JAWITSCH, L.S., *The General Theory of Law*, Moscou, Progress Publishers, 1981.

KAHN, Jean-François, *Complot contre la démocratie*, Paris, Denoël/Gonthier, 1977.

KANT, E., *La Doctrine du droit*, Paris, Vrin, 1979.

KOJÈVE, Alexandre, *Esquisse d'une phénoménologie du droit*, (1943), Paris, Gallimard, 1981.

LECLERCQ, Yves, *Théories de l'État*, Paris, Éditions Anthropos, 1977.

LEFEBVRE, Henri, *De l'État*, 3 volumes, Paris, U.G.E, 1976.

LEFORT, Claude, *Éléments d'une critique de la bureaucratie*, Paris, Gallimard, Col. « Tel », 1979.

LÉONARD, Jean-François et HAMEL, Pierre, *Les Organisations populaires, l'État et la Démocratie*, Montréal, Éditions Nouvelle-Optique, 1981.

LUKACS, G., *The Young Hegel*, Londres, Merlin Press, 1975.

LUKIC, Radomir, *Théorie de l'État et du droit*, Paris, Dalloz, 1974.

MACPHERSON, C.B., *Democratic Theory*, Oxford U. Press, 1973.

MASCOTTO, Jacques et SOUCY, P.Y., *Démocratie et nation*, Montréal, Éditions A. St-Martin, 1980.

MC KEON, Richard (compilateur), *Democracy in a World of Tensions*, Paris, UNESCO, 1951.

MERCIER-VEGA, Louis, *La Révolution par l'État*, Paris, Payot, 1978.

MILL, John Stuart, *The Subjection of Women* (1869), M.I.T. Press, 1981.

MOORE, Barrington, *Les Origines sociales de la dictature et de la démocratie*, Paris, Maspéro, 1969.

MOSS, Robert, *The Collapse of Democracy*, Londres, Temple Smith, 1975.

OPPENHEIMER, Franz, *The State* (1914), Montréal, Black Rose Books, 1975.

POPPER, Karl, *The Open Society and its Enemies*, Princeton, Princeton U. Press, 1971.

POULANTZAS, Nicos, *L'État, le pouvoir, le socialisme*, Paris, P.U.F., 1978.

SARTORI, Giovanni, *Théorie de la démocratie*, Paris, A. Colin, 1973.

SCHROYER, Trent, *The Critique of Domination*, Boston, Beacon Press, 1975.

SCHUMPETER, Joseph, *Capitalisme, socialisme et démocratie*, Paris, Payot, 1963.

TOCQUEVILLE de, Alexis, *De la démocratie en Amérique* (1840), 2 vol., Gallimard, 1961.

WEIL, Eric, *Hegel et l'État*, Paris, Vrin, 1974.

Table des matières